小盆栽,變身

林雨澤 著

序　　還記得在青少年時期就非常喜歡大自然，特別是綠色植物。美麗的植物總讓人感到愉悅，
上學必經的竹林、稻田、油菜花田、布袋蓮池塘，還有水溝裡的水蠟燭，每一種植物都有
獨特的美。看著一大片的油菜花田，彷彿什麼煩惱都能忘記……由於對大自然的熱愛，所
以在求學過程中，都念與植物有相關的園藝科系，休閒假日我也很喜歡往戶外、田野跑，
可以看到許多喜愛的植物，放鬆自己的心情。

接觸園藝到現在15個年頭了，一開始對植物真的一竅不通，後來慢慢地栽培它們，感覺它們，了解它們，邊種邊學，也不斷地閱讀園藝相關書籍吸收新知識，有時候發現書上寫的東西不見得每個人都適用，因為每個人所在的環境不同，光是看書也不會有答案，一定要親自栽培過才能真的認識它。縱使到現在接觸植物的時間已不算短，然而植物種類繁多，要對每一個物種都十分了解，並不容易，要學習的地方還很多。

現在人們生活水平逐漸提升，以前經濟不好，人們只要吃得飽就很好了；現在不只要吃飽，還要吃得好、吃得巧。而物質生活的提升也延伸到園藝，以前種盆栽只是將植物種在盆器裡，植物雖然漂亮，但種在盆器裡總覺得少了一分美感。隨著時代變遷，生活中各項物品都以飛快的速度在進步，人類的各種活動無不講求創意，只有創意才能使社會進步，盆栽也不例外，必然要跟上創意的時代。創意的來源可以是生活中任何事物，只要發揮聯想力，即使是普通的東西，也能令人驚豔。

像是說蛋殼用做盆子來種植物，總得要給它個「座」，才不致讓蛋在放置時跑來跑去；但又不是非要放在固定平面，我們也能換個想法，把蛋放在水面，利用蛋殼防水特性，就做出漂浮的蛋。另外有些作品是簡單的包裝而已，譬如用瓦楞紙捲起雞精或麻繩纏繞扭蛋，因為雞精瓶、扭蛋不甚美觀，但只要使用不同的素材作為包覆，就是一件完整有趣的作品。再說，盆栽也不一定都是固定不動的，有什麼方式可以讓它擺動？用枝條做成三腳狀，利用麻繩就能擺動植物，增加植物的趣味……

以上都只是一些小小的改變，便能讓盆栽給人的感覺大不相同，因此我將自己的園藝經驗加上創意集結成冊，與所有同好分享經驗，希望能給讀者多一分創作想像空間與參考。本書能順利出版要感謝所有工作人員，以及我的家人和老婆對我的支持和包容，謝謝大家。

OPENING

第**1**章

It's
5 cm
mini World

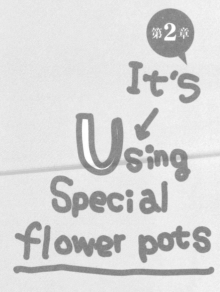

第**2**章

It's Using Special flower pots

第3章 It's Special Materials

OPENID

在我們的生活週遭有著各式各樣的生活用品，每個物品各有其功能及作用，當我們不再需要他們的時候，是不是只能丟進垃圾筒呢？其實不然。只要一點巧思，許多的物品都能再被賦予新的使命，妝點盆栽不僅是可以有創意、有樂趣的，還可以是環保的，讓這些擁有生命力的植物更生活化，將它們自然的融入我們習以為常的生活中。

那麼到底什麼樣的東西才能應用在盆栽上呢？主要分兩大類，有天然的材料和人造材料的區分。

天然的材料有蛋殼、貝殼、石頭、木頭、樹皮、枯枝等等……，尤其生活中容易取得的蛋殼與枯枝是本書中應用最多的。

人造的材料如鍋碗瓢盆、杯子、保特瓶、乃至鞋子、手套……等等不勝枚舉。只要是質感還不錯或能盛裝土壤的容器，其實沒什麼東西是不能拿來用的。

what?

什麼？
這也能當盆器？

Go Go Go

盆器顏色的選擇以白色、米色等淺色系或是透明的玻璃，可以輕鬆做出極簡的風格又能突顯植物本身具有的特色。不建議使用大紅大紫等鮮艷而強烈的色彩，感覺突兀不搭調。最容易找到又好看的材料應當是瓷的，餐具、玻璃杯、煙灰缸等等，算是好用且耐用的盆器，初接觸盆栽的綠手指，可先從這些不失敗的用品著手。

有了種植的經驗之後，可以換一些特別的盆器，如鞋子、手套等……若要與眾不同，可以利用鋁線和枯枝增加小盆栽的變化性，讓你的盆栽獨一無二。

雖然我們可使用盆器的選擇有這麼多，但是有一點必須要注意的是，不同材質的容器在使用上還是有一些小方法的。像是寶特瓶，其實是不適合直接使用的！若只是將瓶子切開種入植物就擺著看，那倒不如種塑膠盆還好看點。因為塑膠的東西，質感比起金屬或玻璃等特殊材質比較起來相對來的較差，故使用塑膠容器時宜選擇不透明的素色，或將不好看的容器用一些質感較好的材料加以包裝，整個感覺就不一樣了，不只人要衣裝，盆栽也需要包裝。

植物的挑選上因為有些盆器的空間較小，如蓋子、貝殼等……，能容納的土有限，在植物的挑選上以生長緩慢及小巧可愛的仙人掌和多肉植物較合適，其他可以容納較多土的容器，則一般三吋小品的觀葉植物都適合。

有了以上對盆器的初步介紹，綠手指們應該對盆器的選擇，使用方法和植物搭配有概略的了解，就讓我們一起輕巧的動手來創造豐富的綠生活吧。

ANYTHING

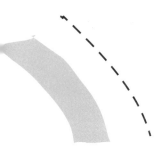

小物
讓你
方便又順手
本書所使用的工具

I'm king!

剪定鋏
選用彎口的，
可以剪粗枝條

hi

剪刀
各種軟質物品的裁剪

hello

槌子
與釘子一同使用
使用於木製材料類

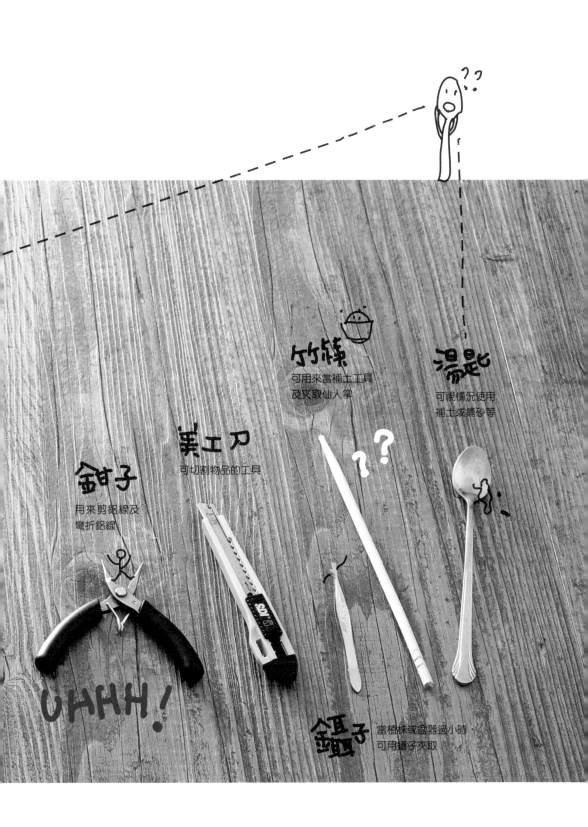

竹筷
可用來當補土工具
及夾取仙人掌

湯匙
可視情況使用，
補土或鋪砂等

美工刀
可切割物品的工具

鉗子
用來剪鋁線及
彎折鋁線

鑷子　當植株或盆器過小時，
可用鑷子夾取

Help!

麻繩、細線
用於綑綁物件，
或當吊盆的吊繩纏繞苔球用

熱熔膠
配合熱熔膠條使用的
器具，十分方便

澆水器
植物的生存之道，
絕對少不了它

Glue Gun YYT-202
MFG 05/2008 10-15W

熱熔膠條

速乾的黏合膠，可用火直
接熔化以做接合之用

保麗龍膠

為乳狀膠，顧名思義是保
麗龍、珍珠板等材質專用

雙面膠

通常使用於紙類
物品的黏合

yeppp

白膠

可使用於普通接合，
特色為乾後會呈現略
為透明狀

kiss!! kiss!
kiss!

介質 &
裝飾石頭

I'm Big Man!

土

以木材及腐葉為原料製
做，適合一般植物。已
種植過植物的土，內含
養分減少，可以1：1
混合培養土即可使用

人造的發泡煉石排水性良好，有很多
沒有排水孔的容器，可以在盆器內先
放入一些發泡煉石，使根部透氣

發泡煉石

cute! stone!

砂

多肉植物與仙人掌可
混合砂於土壤中，使
排水良好

水苔 含水性強，適用厥類及蘭
花。使用前泡入水中用手
揉捏，便吸水

大漢白玉石

cute!

象牙石

貝殼

可用於裝飾盆栽，讓盆
栽更生動或種入植物當
成盆器使用

石子

用於覆蓋盆土，增加質感，有
各種顏色及種類，在不同的盆
栽中各有適用的種類

綠芝麻

小漢白玉石

Stone!

流木

經河水沖刷的流木
十分自然，裝飾盆
栽使作品更豐富

特別課程
盆器的前處理

植物生長需要水分的補充，為了讓植物可在自己所做的盆器中長得更好，我們所使用的盆器一定要先做適當的處理，才能讓小植物們安穩的在新環境中生長。而本書中的Mini World章節使用最多的便是與我們生活中密不可分的食物——蛋。蛋是生活中最容易取得的簡單盆器，俐落的橢圓線條，簡約的白色，放在水裡或者放在平面上，都讓室內看起來乾淨清爽，並擁有極簡的風格；但是因為蛋殼很脆弱，所以動作必須要輕。

示範蛋挖洞

1. 用湯匙輕輕敲打
2. 拉開碎裂蛋殼
3. 倒出蛋液
4. 洗淨備用

由於生活中可取得的其他盆器大部分都沒有排水孔，所以在植物的選擇上就要以仙人掌和耐水性的植物為主；若是栽種一般觀葉植物，則要對植物多付出些愛心，單單澆水就需要技巧了。想要知道什麼時候土乾了需要澆水，這裡可以告訴你一個好用的小方法：你可以使用衛生筷或竹籤，插入土裡一會兒，再拿起來看，若是乾的，則需要立即澆水，若是溼溼的還沾有土粒，則表示土壤還是有水分，還不必澆水。如果是小植物，不方便一次澆大量的水分，那我們可以用吸管吸一些水分（如圖❶），再滴在小植物上（如圖❷）即可，方便又簡單呢！

由於植物極其需要水分，但是在眾多盆器中，總有些東西是不能長時間處於潮濕狀態，如木製或布製品，若長時間潮濕，可能會引起發霉。所以在使用前需先舖上鋁箔紙或塑膠袋，可以隔離水氣，避免潮濕，而且千萬不要以為規規矩矩的使用一般花店販賣的盆器就好了，如果是使用素燒陶盆時候，由於它極易吸水，會讓整個盆子都吸水而變色，這濕了的陶盆，就將水氣經由表面而蒸散到空氣中，會使土壤快速乾燥，反而會影響植物的生長；若將這素燒陶盆放在木頭上，則更需注意水會使木頭潮濕的問題，這些都是使用的盆器與材料的搭配上，必須注意的問題。

Step1. → Step2. → Step3.
↘ ↓ ↙
"PRETTY FUN"

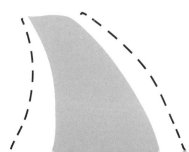

2
特別課程
小盆器植物的
分株與修剪

養植物和養動物一樣，植物也會長大，只不過植物是沈默的寵物，必須主動地付出關心，經常注意植物是否生長良好，要種植物前，我們也必須了解不只植物的根莖葉會生長，老化或蟲害所產生的枝葉枯萎，都是正常現象，在栽種時必須適時的幫助它修剪，才能維持生長良好。一般來說，修剪植株的各個不同部位時，其重點如下：

葉

老葉及枯葉要立即剪掉才不會消耗養分及影響美觀，剪的時候要連葉柄也剪下，因為葉柄不會再長出葉子。

莖

過長的的莖會影響美感或使植物倒伏，植物會在剪短的莖頂端的節再長出新芽，修剪後不要留過多的節間（節與節之間稱為節間）。

根

一般而言，盆栽約一、二年換盆一次。換盆的時候，可順便修剪過多的根，因為盆裡的空間有限，根系如果過多，土壤就相對減少，根系修剪之後更能促使長出新根。

扦插

扦插是將植物的根莖葉剪下，另外插種於土中，經過一段時間，扦插的根莖葉會長出新芽和根，不過並不是所有植物都能用扦插繁殖，本書中常用的多肉植物大多容易用扦插繁殖，將枝葉剪下，待切口乾後，插入土中並澆水，約一至二週可發芽。

示範分株

分株是最容易成功的繁殖法，適用叢生植物。有些植物可以用手拿根部慢慢地掰開，若根系太密分不開時，再用剪定鋏在基部剪開，將根與莖葉一同分開後再種入新盆內。

示範修剪

1. 從盆器取出時須先把底部濃密根系剪除。

2. 換盆時順便修剪根，依植物特性可修剪掉1/2到2/3的根。

❶

❷

特別課程
熱熔膠的使用方法

本書中最常拿來使用黏合物品的工具，便是熱熔膠了。熱熔膠是以一支插電可加熱的槍枝，使用時必須搭配管狀軟塑膠條，將它卡入熱熔膠槍中溶化後擠出，不僅安全還會迅速將膠凝固，是最適合輔助本書作品完成的工具了！雖然熱熔膠本身毒性很低，但還是必須知道如何正確的使用每樣工具，並於通風處製作，才能真正確保個人的安全。

熱熔膠的主要成分是EVA樹脂，加入其他化學成分經高溫冷卻固化後成塊狀的膠體。由於熱熔膠槍使用方便，你可以自己控制每次黏合所需要的量，操作十分簡便；但若是手上沒有熱熔膠槍、或是使用熱熔膠的物品掉落的時候（請見下圖熱熔膠補膠方式），也可以直接熔化膠條來使用；你可以離膠條約5～7cm處，直接用火苗頂部的高溫去熔化膠條，若是直接用火燒到膠條的話，膠條可是會燒焦的！

熱熔膠和膠條普遍在一般建材五金，或者五金百貨店都有賣，是可以考慮拿來日常使用的好工具喔。

熱熔膠使用方式

將熱熔膠條放在槍後，插上插頭，待膠條熔解後即可使用。

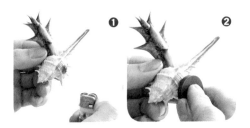

熱熔膠補膠方式

1. 將凝固的熱熔膠用打火機熔掉。
2. 再把磁鐵黏回已熔化的地方。

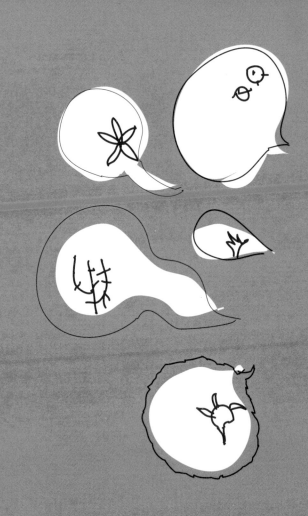

第1章

It's
5cm
mini World

為了小植物特別親手製作的小盆栽，
看！仙人掌也感激的在一旁對你揮手呢！
看著他的熱情就不禁會心一笑。

玻璃杯

簡單作法，盆栽立刻升級。

[材料]

玻璃杯、砂、小漢白玉石、木匙

[步驟]

1. 在杯內舖砂
2. 放入植物
3. 補砂至杯面
4. 舖上石子

 ❶
 ❷
 ❸
 ❹

funny time

如果不要直接放盆子到玻璃杯內，可將盆子取下後，
用薄的不織布把土包住再種入玻璃杯內，
可避免澆水時，把土沖到玻璃杯底，影響美觀。

點心模具

拿得到的模具都可以用。

[材料]

鋁箔紙、點心模具
綠芝麻石、剪刀、木匙

[步驟]

1. 先把鋁箔紙對折
2. 將對折後的鋁箔紙折入點心模內
3. 將多餘的鋁箔紙用剪刀剪去
4. 種入植物
5. 舖上石頭

發芽了

餐桌上一整盒的蛋，
偷偷的把一顆調包，
是不是覺得有趣呢？

[材料]

1盒雞蛋、綠芝麻石、木匙

[步驟]

1. 先將土加入蛋內約至三分滿
2. 把植物種入蛋殼中
3. 再補土至蛋殼內約八分滿
4. 舖上一層石子，加水並調整姿態
5. 最後與其他生雞蛋一同置於紙蛋盒即完成

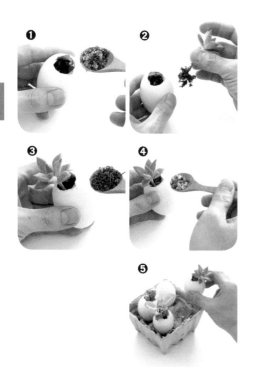

漂蛋

天氣熱令人心煩嗎？
把蛋放在水上，
透明的清涼令人忘了煩悶。

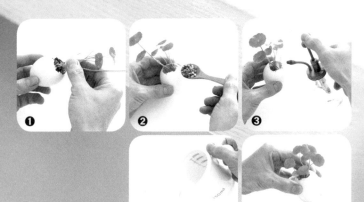

[材料]

已處理蛋殼、玻璃杯
綠芝麻石、木匙、澆水器

[步驟]

1. 將帶根圓幣草數枝放入蛋殼內
2. 蛋殼內加入少許石子
3. 將水同樣加入蛋殼內
4. 取杯子裝約八分滿的水
5. 把步驟❸的蛋置於杯內就完成了

玩具動物

偶爾KUSO一下，
把玩具種上植物，
綠化更多了份樂趣。

[材料]

橡膠玩具、剪刀、發泡煉石
鑷子、鐵匙、竹筷

[步驟]

1. 用剪刀將玩具剪一個洞
2. 取土舖入玩具內
3. 種入植物並用竹筷塞根
4. 最後用石子填入洞口空隙即完成

I'm J.

蛋蛋人

壞了的公仔，
讓我來賦予它新的生命，
讓它重新站起來，
也更生氣盎然呢！

[材料]

蛋、鋁線40cm×1
人偶的頭、鉗子、鐵匙、保麗龍膠

[步驟]

1. 先於蛋身處打洞
2. 將準備的玩具人偶頭部黏於蛋上
3. 於蛋殼內種入植物
4. 取鋁線繞出一圓底座
5. 將蛋置於鋁線上固定擺放

❶

❷

❸

❹

❺

funny time

底座的鋁線製作可參考P.78頁作品洗面乳條。

蠟燭鋁殼

拿鋁殼來種植物，不只物盡其用，
更在生活中創造出不一樣的綠色元素。

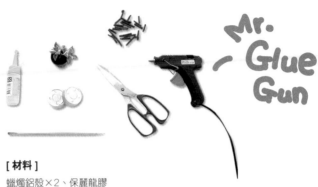

Mr.
Glue
Gun

[材料]

蠟燭鋁殼×2、保麗龍膠
樹枝2cm×2、剪刀、竹筷、熱熔膠

[步驟]

1. 將鋁殼分別剪三刀如一方孔，且兩個方孔需一大一小
2. 將剪下鋁片的部分向內折
3. 用保麗龍膠將2個鋁殼黏起
4. 將枝條橫黏於底部，使鋁殼站立
5. 於鋁殼內種入植物

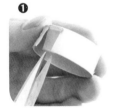    

funny time

方孔組合時要小在外、大在內互相黏合，才不會看到內層露出。
且黏起的洞孔部分需用竹筷稍微向內壓，
因鋁殼很薄，若是只剪開，留下平整的缺口，
感覺很薄弱，利用竹筷向內壓，
讓缺口呈圓弧，感覺更立體。

蓋子

牆邊不要的噴漆罐，
蓋子是很規矩的形狀，
正適合用來種花。

[材料]
蓋子、木匙、象牙石

[步驟]
1. 先在蓋內舖入七分土
2. 將植物種入蓋內
3. 補上少許土壤使植物穩固
4. 最後舖上石頭裝飾

調味罐

不用的調味罐，
種小植物，
就能改變用餐氣氛。

❶ ❷

❸ ❹

[材料]

調味罐、發泡煉石
鑷子、鐵匙

[步驟]

1. 於罐內鋪入三分土
2. 把植物種入調味罐中
3. 補土至八分滿
4. 用石頭填滿罐口空隙處即可

[材料]

已處理蛋殼、5cm樹枝1把
乾草、小漢白玉石、木匙、熱熔膠

[步驟]

1. 用熱熔膠將枯枝隨意黏成巢狀
2. 於步驟❶做好的巢中舖上乾草
3. 於蛋殼內種入植物
4. 再取石子舖入蛋殼內裝飾
5. 將蛋放至步驟❷所製作出的巢中

巢

把蛋放在巢裡，
看會不會有母雞來孵蛋。

[材料]

枯枝15cm x 7、已處理蛋殼
小漢白玉石、熱熔膠、木匙

[步驟]

1. 將枯枝凹面約3、4公分處黏上熱熔膠
2. 把黏上熱熔膠的枯枝固定於蛋上
3. 其餘枯枝同步驟❶以螺旋狀方式重疊固定於蛋上
4. 於蛋內放入植物
5. 舖上石子即完成

❶

❷

❸

❹

❺

蛋骨

簡單的設計、
也可以十分耐看。

卡帶盒

拿幾乎要被淘汰的卡帶來做盆器，
真是意想不到！
試著學習珍惜物品、再利用的美德。

[材料]

卡帶盒、砂、綠芝麻石、木匙

[步驟]

1. 將砂子鋪入卡帶內，讓砂呈現曲線狀
2. 種入植物，須避開盒內的塑膠柱
3. 最後補上砂石裝飾就完成了

致命的吸引力

運用小貝殼種的小盆栽，
固定在磁鐵上，
可以吸附在電腦上，最特別。

[材料]

小貝殼、磁鐵、綠芝麻石
熱熔膠、竹筷、鑷子

[步驟]

1. 用熱熔膠將貝殼黏上磁鐵
2. 於貝殼內種入植物
3. 舖上小石子當裝飾

❶ 　**❷** 　**❸**

麻繩球

收藏了扭蛋中的公仔，外殼怎麼辦？
拿段麻繩做簡單裝飾，
就成為俏皮的手作風盆器了。

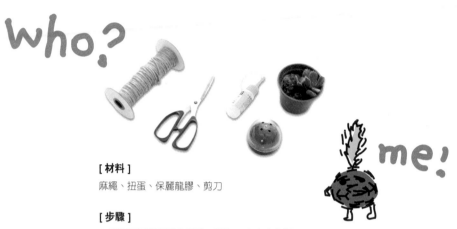

who?

me!

[材料]

麻繩、扭蛋、保麗龍膠、剪刀

[步驟]

1. 將扭蛋不透明邊中間剪一個約10元大小的洞
2. 從扭蛋透明邊中心處約5元硬幣外的距離，先塗上1/3保麗龍膠
3. 以順時針方向纏繞麻繩，並重複動作❷、❸至最後
4. 於洞口處收尾，並剪去多餘麻繩
5. 完成後於扭蛋內種入植物即可

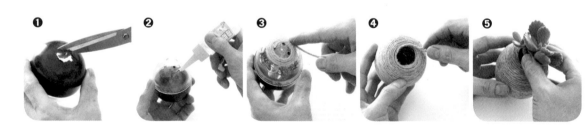

❶　❷　❸　❹　❺

funny time

麻繩黏至最後扭蛋上不規則洞口處，
可直接將保麗龍膠直接黏著於麻繩上，
以繩黏繩，方便收尾又美觀。

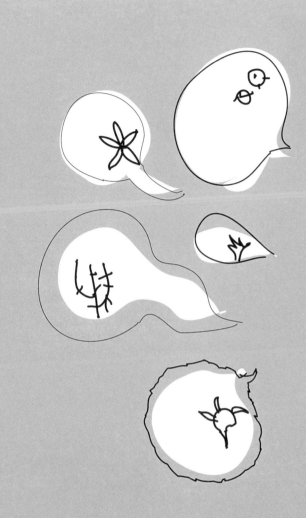

第2章

It's Using Special flower pots

不同的盆器賦予植物更多的樂趣！
看著心愛的植物一個個搬新家，顛覆你的綠世界。

石頭

天然風味的野趣盆栽。

[材料]

天然有洞的石頭、綠芝麻石、木匙、竹筷

[步驟]

1. 先於洞口內種入適當大小的植物
2. 補土使植物穩固並調整植物姿態
3. 於土面舖上石頭裝飾即可

funny time

天然石頭若不易平穩放置，
可於底部黏上較小的石頭來固定角度，
使洞口朝上且讓石頭穩固不搖晃。
同時要注意如果石頭上的洞太小，
則應選擇生長較慢的植物種植。

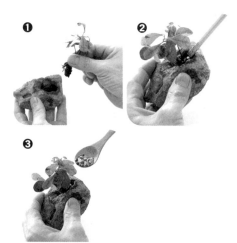

燭台

準備著我倆的燭光晚餐，
不用過份鋪張；
單純的小巧思，
就可以變得跟平常不一樣。

[材料]
燭台、木匙、綠芝麻石

[步驟]
1. 將植物直接種入燭臺中
2. 補土至容器內約八分滿
3. 於土面覆蓋石頭裝飾

大鍋炒

10元店買的鍋燒麵鍋子，
種上組合盆栽，好像吃火鍋。

❶　❷　❸

[材料]
鍋燒麵鍋子、流木

[步驟]
1. 鍋內鋪土約至三分滿
2. 種入植物
3. 放入流木裝飾

funny time

植物高的種後面，矮的種前面才有層次感，
且密集地種才能表現出組合盆栽的熱鬧。
種時把土壓實，流木亦往下壓可使植物更穩固。
由於植物在同個盆器內生長，
故要儘量使用日照和需水量一致的物種才好照顧。

煎鍋

退休的煎鍋先生，
走出廚房後熱心園藝，
十分樂在其中。

[材料]

煎鍋、象牙石、砂、木匙

[步驟]

1. 先於鍋內舖土
2. 將植物視個人喜好種入鍋內
3. 於土壤表面補上一層砂
4. 最後以石子點綴，增加美感

吃便當

中午了，肚子餓，拿出便當……
咦！這下可好，中午吃什麼呢？

lunch box

[材料]
便當盒、小漢白玉石
砂、木匙、竹筷

[步驟]
1. 鋪土約至盒內七分滿
2. 於土層表面鋪上一層砂
3. 種入植物，並視情況補砂於空隙處
4. 在角落處鋪上一層小漢白玉石即可

❶ ❷ ❸ ❹

funny time
為了要表現便當的樣子，
用區塊化種植物，
加上用小漢白玉石當白飯，
營造出便當整體可愛的風味。

48

小貝

小小的貝殼種入小小的植物，
不佔空間又可愛。

[材料]

綠芝麻石、貝殼、熱熔膠
鑷子、鐵匙

[步驟]

1. 選一個面當正面，用熱熔
   膠將貝殼黏在石頭上
2. 在貝殼內鋪土
3. 種入植物
4. 鋪上石子，澆水即完成

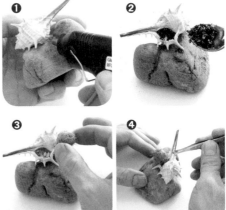

樹皮

偶然在樹下發現的一片長樹皮，
將它隨意剪成幾段再包住植物，
成為風格獨具的盆栽。

[材料]

鋁線、樹皮數片、空瓶、熱熔膠

[步驟]

1. 將植物種入空瓶內
2. 把樹皮弄成適當長度，
   用熱熔膠黏在種好植物的空瓶上
3. 最後在樹皮外纏上鋁線稍做固定

茶壺

午後悠閒的時光，
因為茶與小樹讓心情感到自在與安逸。

[材料]
茶壺、植物、發泡煉石、木匙

[步驟]
1. 於茶壺內鋪上八分土
2. 將植物種入壺中
3. 補上石子約至壺口齊高

funny time

植物可使用特殊栽種的小盆景，
感覺較具中國風，
而且自己就能動手做！
我們可以拿鋁線纏繞在植物的莖部，
再彎曲莖部，一個月後拆線，
就能得到具有中國風的植物。

一碗青菜

青翠的綠色植物種碗裡，
當做青菜顧目瞷。

[材料]
碗、象牙石、鐵匙

[步驟]
1. 碗內放入植物
2. 補土至碗內八分滿
3. 最後鋪上石子裝飾

煙灰缸

為了創造無煙環境，
把失去功用的煙灰缸種些綠色植物，
讓空氣清新，聞起來也舒服。

[材料]

煙灰缸、綠芝麻石、木匙、竹筷

[步驟]

1. 於煙灰缸內舖土約七分滿
2. 用竹筷種入仙人掌
3. 舖上石子

❶ ❷

❸

what?
the
smell

地瓜

發芽的地瓜，
只要水就可以長得茂盛。

[材料]
碟子、水苔、地瓜、澆水器

[步驟]
1. 先在碟內鋪上水苔
2. 地瓜置於水苔上
3. 澆水至碟內溼透即完成

❶

❷

❸

保麗龍

雖是不環保的東西，
卻是非常合適的材料。
讓你輕鬆打造出完全地中海風格！

[材料]
保麗龍、批土、流木、砂、刀子

[步驟]
1. 保麗龍盒切割成喜愛的形狀
2. 批土塗上表面，可不必塗得太平整
3. 待乾後種入植物
4. 放上流木裝飾
5. 鋪上砂子

funny time

批土原為補平牆面或木板的凹洞裂縫所使用的，
塗在保麗龍表面可增加強度與質感。
還可使用壓克力或廣告顏料讓作品更多樣化，
只要等乾後噴透明漆，就不會掉色了。

啤酒罐

平凡的啤酒罐，
種入植物後出乎意料的適合擺在家中觀賞，
是很有普普風的作品喔！

[材料]

啤酒罐、砂、木匙、竹筷

[步驟]

1. 把土舖至罐內六分滿
2. 取一株植物種至罐內
3. 補土使植物穩固，並用竹筷塞緊空隙處
4. 最後舖上砂即完成

funny time

開罐時不同於一般開罐頭，
開罐的動作要小，
一點一點地開，不要大動作，
避免邊緣有大鋸齒的產生，
才不致於割傷。

[材料]
玻璃罐、流木、小漢白玉石
貝殼、木匙、竹筷、熱熔膠

[步驟]
1. 將玻璃罐橫放，於內部鋪上一層土
2. 植物依個人喜好擺放於不同位置
3. 放流木增加作品多樣化
4. 鋪上石子及貝殼裝飾
5. 最後於兩側黏上木頭，可使玻璃罐平穩站立不滑動

大玻璃罐

橫著擺放大玻璃罐，
就如同玻璃船般別具特色。
但要細心的做才能呈現精緻的美感。

咖啡袋

咖啡袋的英文LOGO，
麻布的質感，
讓盆栽自然吸引眾人目光。

[**材料**]

咖啡袋、寶特瓶
大漢白玉石、剪刀

[**步驟**]

1. 剪開寶特瓶
2. 將植物種入寶特瓶內
3. 鋪上石子
4. 視情況反摺咖啡袋過長的部分
5. 把寶特瓶套入折好的咖啡袋中

瓦楞紙

自己也能完成可愛手作盆。

[材料]

瓦楞紙20×20cm1張、雞精瓶
美工刀、雙面膠

[步驟]

1. 先將植物種入雞精瓶內
2. 於瓦楞紙上預留洞口位置
3. 在步驟❷的雞精瓶口上方裁切一4×6cm的長方形
4. 將雞精瓶與瓦楞紙邊緣貼上雙面膠
5. 把步驟❹處理好的瓦楞紙黏在雞精瓶上

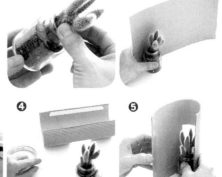

護腕套

忘不了運動之後，盡情奔放的汗水；
讓盆栽也換上運動裝，展現活力與熱情。

[材料]

雞精瓶、護腕、象牙石、木匙

[步驟]

1. 雞精瓶種入植物
2. 舖上石子
3. 於瓶外套上護腕

一網打盡

水果網袋，
今天不放APPLE放盆栽！
換上鮮綠的cactus，
照樣賞心悅目。

[材料]

雞精瓶、水果網袋

[步驟]

1. 將植物種入雞精瓶
2. 將水果網袋反折至適當高度
3. 把雞精瓶套入折好的水果網袋中

❶

❷

❸

置物盒

將可愛的迷你小植物放在辦公桌上，
讓生氣盎然的植栽治癒你疲累的心情。

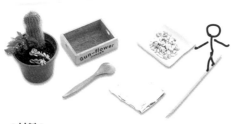

[材料]

置物盒、鋁箔紙、象牙石、木匙、竹筷

[步驟]

1. 把鋁箔紙鋪入置物盒的底部
2. 取較大棵的植物種在盒子的後半部區域
3. 將流木以對角線方向擺放於盒內
4. 小株植物種入盒內前半部
5. 最後再鋪上石子即可

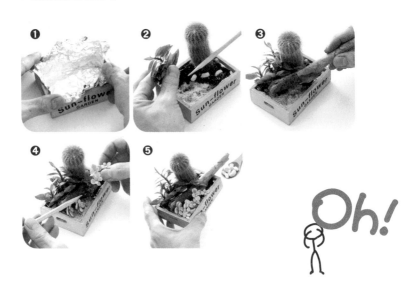

Oh!

布希鞋

脫下一雙伴隨著我們跋山涉水的鞋，
讓雙腳和鞋子可以好好休息了。

[材料]

布希鞋1隻、水苔、流木、木匙

[步驟]

1. 在鞋內舖上水苔
2. 再舖上土至鞋內約七分滿
3. 依個人喜好種入不同植物
4. 放入流木做最後裝飾

❶ ❷
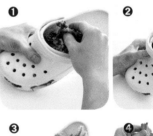

❸ ❹

OK!

funny time

由於布希鞋上洞會漏土，
故要先舖水苔，以減少土壤流失。
而只要不是會露腳趾的拖鞋
（因其無法直接填土），
其他型式的鞋子都可以直接舖土栽種植物。

烤箱手套

保護雙手的烤箱手套，
也可以換個方式守護你。

[材料]

手套、報紙、寶特瓶

[步驟]

1. 將植物種入寶特瓶中
2. 把報紙塞入手套最底部
3. 用手撐開手套，並預留寶特瓶可放置的空間
4. 最後把種好植物的寶特瓶放入手套內即可

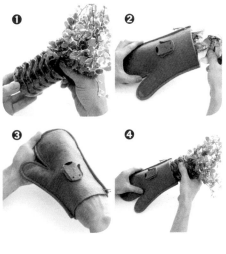

木板

用刀子將木板腐朽的部分刻去，
留下自然的紋路，
小小的空間也能雕琢出精緻的質感。

[材料]

漂流木、砂、象牙石、貝殼、木匙、竹筷

[步驟]

1. 在木板的縫隙中鋪上一層土
2. 視空間大小種入適合的植物
3. 用砂補滿木板上較空的部分
4. 放上石子與貝殼裝飾

funny time

小植物剛種上去時很容易掉，
所以種好需立刻澆水使植物及石頭穩固，
然後固定擺放在放置的場所種植一段時間之後，
植物自然會長根，就不那麼容易鬆動了。

皂盒

泡澡可舒緩一天的疲勞，眼睛也需要喔！
做個目光浴，讓身心靈都能獲得充分的休息。

[材料]

皂盒、水苔、線、剪刀

[步驟]

1. 從小盆栽取出植物，修剪多出來的植物根系
2. 將土團根部包覆成球狀
3. 將水苔包覆於土團外側
4. 取細線纏繞苔球，使之固定
5. 最後置於皂盒上即可

funny time

繩頭在苔球外繞一圈先打結，接著均勻地繞著圓球纏，
纏時要不時地旋轉苔球才能均勻地繞到苔球，
讓水苔不散開而能成為圓球，大約繞20圈後剪斷打結即可。

❶　❷　❸　❹　❺

❶ **❷** **❸** **❹** **❺**

心心相印

誰說苔球一定得是圓形，
改做成心形，
送給情人表示我的愛意。

[材料]

水苔、細線、鋁線1段

[步驟]

1. 用水苔包覆土，纏線後壓成心形
2. 於上端中間用手捏開一個口
3. 將薜荔放到洞孔裡，並用細線將薜荔緊纏繞於水苔上
4. 用鋁線穿過苔球
5. 在鋁線上端環繞成勾，下端亦做成愛心造型即可

funny time

被束縛的薜荔，
剛開始會有一些葉子受傷，
一二天後更有些葉子掉落情形，
這是都是屬於正常現象，不用擔心，
約一周後薜荔便能恢復原本的活力了。

和風苔球

充滿日本風味的苔球，
再加上貝殼，迎風搖曳生姿，
完全展現出植物的美。

[材料]
貝殼3個、鋁線、麻繩、釘子、槌子

[步驟]
1. 在貝殼上打洞
2. 用麻繩穿過貝殼上的洞，底部打結以防止貝殼掉落
3. 將三個貝殼約以5公分的間隔綁在麻繩上
4. 將鋁線直直穿過整個苔球
5. 上下兩端鋁線作勾，並在下端綁上貝殼繩裝飾即可

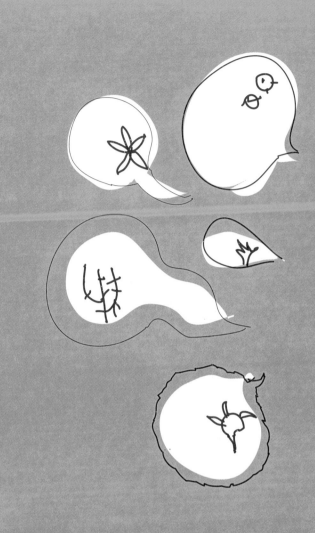

第3章

It's
Special
Materials

覺得小盆栽還是太孤獨了啊
沒關係！做點裝飾陪植物一同成長，
讓他們感受不一樣的樂趣。

Aluminum stream
玩鋁線，好輕鬆

鋁線是台灣近年來新興的手工藝材料，由於鋁線比
鐵線柔軟，並具有更好的可塑性，加上不生鏽還能
有多種顏色可以選擇，所以有越來越多手作達人投
入鋁線雜貨的創作。目前坊間也不乏鋁線雜貨的創
意書籍，甚至也有不少鋁線做的手飾、吊飾等在網
路販售。雖然金屬感覺冰冷，但柔軟的特性、可以
輕易地塑型，創造出俐落流暢的線條美感。

隨著越來越多人玩鋁線，市面上的鋁製線材也更加
豐富，規格色彩也很多樣。本書中用的鋁線只有
2.0mm及3.0mm直徑的尺寸。有些比較龐大的作品
需要使用到3.0mm的鋁線才能支撐重量；粗鋁線表
現出的質感較細鋁線穩重許多，細鋁線則可做出較
柔美的線條，細節處的彎曲也較粗鋁線在使用上更
容易操作。

當然，鋁線不只能做雜貨，也能應用在盆栽上，其
變化性絕不亞於鋁線雜貨。應用於盆栽的鋁線作法
可以是細膩，也能是粗獷的，端看個人喜愛的風格
與對鋁線操作的熟悉度，所以現在就趕緊動手，由
自己親手發現鋁線為生活中所帶來的無限可能吧！

做環→這是將鋁線做成圈的方法

1. 先在鋁線兩端用尖嘴鉗做勾
2. 取一邊勾向Y軸方向轉90°
3. 兩個勾互勾，最後用鉗子夾緊

做勾→這是將鋁線勾在其他鋁線上的方法

1. 先在鋁線的一端做一個勾
2. 勾上需連結的另一條鋁線
3. 用尖嘴鉗將勾夾緊即完成

繞圈→這是一條鋁線同時繞過好幾個環時所使用的方法

1. 將鋁線在需纏繞的環上繞一圈
2. 將纏繞的鋁線拉緊
3. 依作品所需繞過其他環，結尾時做勾，需勾在作品內部，以保持美觀

鋁線基本功
←

**玩鋁線雜貨前，
一定要先了解一些
基本製作手法，
才能事半功倍喔！**

glass →

玻璃罐

利用鋁線線條，改變玻璃罐的FEEL，
水生的田字草讓人感覺更涼快。

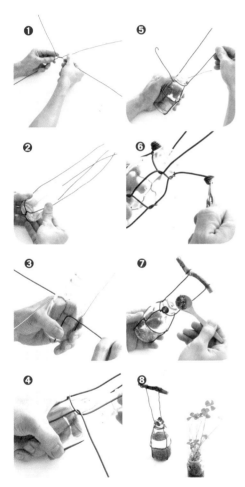

[材料]
玻璃罐、鋁線×2（長度約為瓶高的6倍）
流木1個（長度為玻璃瓶底部直徑的1.5倍）
琉璃、鉗子、木匙

[步驟]
1. 取兩條鋁線於中心處相交轉兩圈，並拉成十字型
2. 將中心點置於瓶底中心，並將鋁線順著瓶身往上拉起
3. 將四條鋁線於瓶身一半處向右折90°
4. 順著瓶身以逆時針方向，將左邊鋁線相交過右邊鋁線後
　 90°往上折
5. 鋁線拉至瓶口處重複動作❹，將二條對角鋁線向上拉起
6. 另二條對角鋁線向下，由外繞圈至玻璃瓶處做收尾裝飾
7. 用鋁線把流木固定於頂端，並於玻璃瓶內放入琉璃裝飾
8. 單品完成圖

← DOWN

洗面乳條

用鋁線做底座，
稍稍傾斜的模樣，
讓平凡的洗面乳顯得更活潑了！

[材料]

乾淨的洗面乳條、刀子、鋁線3.0mm×30cm、竹筷、鉗子

[步驟]

1. 在中間的部分開一個長方口
2. 把植物種植於洗面乳條內
3. 先於瓶口處用鋁線繞一圈後，再斜往下繞準備做底
4. 於底座繞圈使鋁線可平置於平面上，鋁線底座需比瓶口大
5. 鋁線末端可朝反方向繞曲線收尾
6. 置於平面時，洗面乳條需朝鋁線尾端同方向下壓，增加鋁線穩定性
7. 單品完成圖

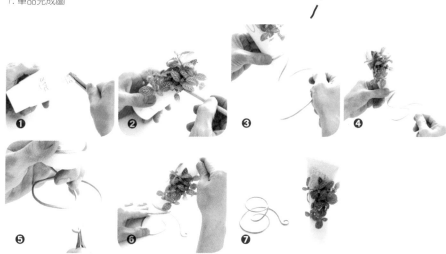

蔓

蔓藤相互糾纏，互相依賴著往天空成長。
讓人期待著與盛開的花朵，
一同漫步在雲端的日子。

[材料]

鋁線3.0mm×100cm5條、大石頭

[步驟]

1. 將5條鋁線隨意交纏，上下兩端視情況先預留10～15cm
2. 將一端鋁線勾住預先準備的大石頭作為底部
3. 可彎曲鋁線，使作品有曲度，更顯美感
4. 把中段鋁線較寬鬆的部分拉緊，提高整體穩定度
5. 將上端的鋁線撐開
6. 於步驟❺撐開的鋁線上勾住苔球
7. 單品完成圖

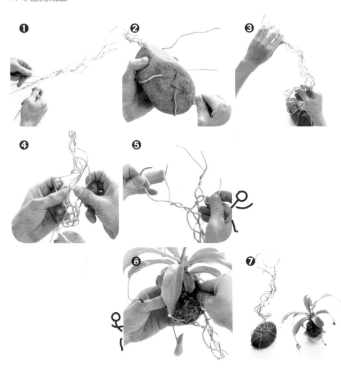

Oh!
Monster

網石盆

用鋁線做成小型的石網壁，
讓盆栽不同於以往，
展現粗獷豪邁的一面。

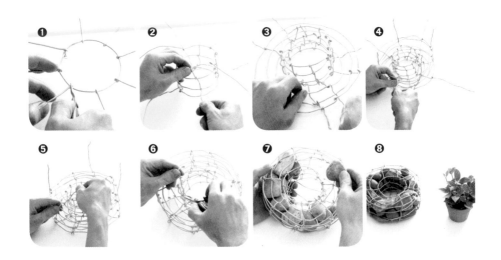

[材料]

最內圈：鋁線25cm×4
同心圓：鋁線35cm×2、45cm×2先做成環
最外圈：鋁線55cm×4先做成環
鋁線直線：40cm×8、10cm×2
石頭、鉗子

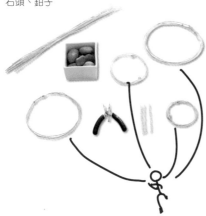

[步驟]

1. 先取一個25cm的環，將8條40cm鋁線以等距離呈
   放射狀勾在環上
2. 8條鋁線向下繞其餘25cm環，環與環間隔為2.5cm
3. 將35cm、45cm及55cm的環由內排列到外，把8
   條鋁線繞在同心圓上做為底部
4. 步驟❸完成後，取其餘55cm的環，同樣間隔
   2.5cm向上做成外圈
5. 將剩下35cm、45cm及55cm的環同樣以同心圓方
   式排列，將鋁線繞回最裡面25cm的環上
6. 用鉗子把最後的鋁線勾住固定
7. 在做好的網石盆中放入石頭
8. 單品完成圖

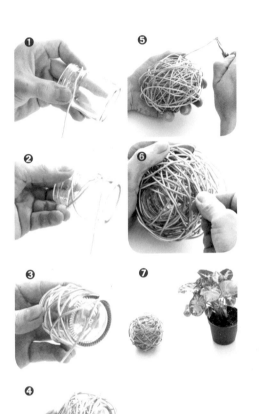

鋁線球

充滿現代感的極簡造型，
有時也很符合現今的居家擺設。

[材料]

鋁線、雞精瓶

[步驟]

1. 鋁線於雞精瓶口處開始纏繞
2. 以交叉方式纏繞於瓶身處
3. 雞精瓶身約纏繞好一層鋁線時，
   開始連同底部一起纏繞
4. 重複步驟❷，邊把雞精瓶底部繞起
5. 將雞精瓶整體纏繞呈一球體後，
   於收尾處先做一個勾
6. 把收尾的鋁線塞進鋁線球中
7. 單品完成圖

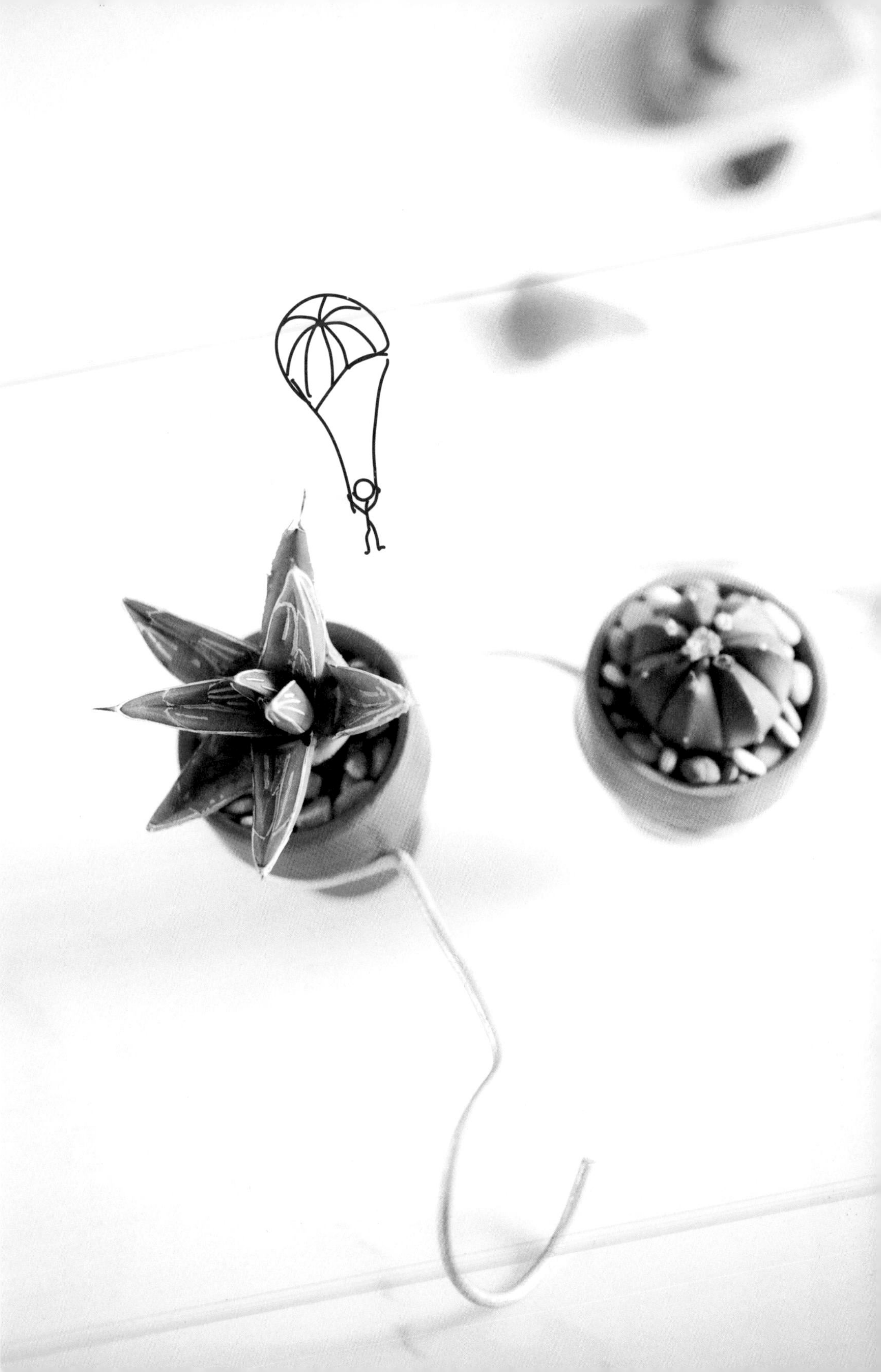

基因

單單一條鋁線，也可以利用陶盆來塑型，
讓鋁線有如生物體最基礎生命的構成。

[材料]

3.0mm以上鋁線70cm1段、迷你小陶盆

[步驟]

1. 沿著陶盆做一C形，留1/4缺口
2. 拉直一小段約五公分，在不平行面上再做同樣的環
3. 重複步驟❶、❷，並在鋁線的最後做出最後一個環
4. 調整鋁線角度，讓前面兩個與最後的環可三點使作品平衡接觸到平面
5. 整理懸空兩個環的面，讓迷你盆可穩定置於其上
6. 單品完成圖
7. 或於下端的環放上陶盆植物即可吊掛欣賞

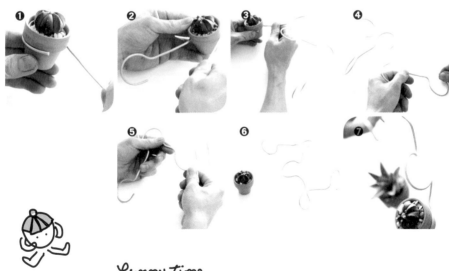

funny time

為了讓整體不會呈現出呆板，
故C型彎曲儘量不做在同一平面，
可適度向Y軸調整角度。特別是靠近的兩個C型，
更要避免因製作於同一平面上，而感覺太制式。

雞精瓶鋁架

可愛的造型鋁架，
就算不放雞精瓶，
也能充分展露出它驕傲的個性。

[材料]

雞精瓶、鋁線30cm×6及15cm×1、熱熔膠、鉗子

[步驟]

1. 將全部30cm鋁線一起在1/3處用力扭轉約兩公分長，可用鉗子轉緊一些
2. 可於扭轉處黏上熱熔膠，加強固定
3. 取15cm鋁線於扭轉處纏繞，並用鉗子夾緊
4. 將短邊拉開作為底
5. 可將底部尾端鋁線彎起做造型
6. 將雞精瓶置於鋁線中心處，並將其餘鋁線順著瓶身往上折
7. 多餘的鋁線於雞精瓶口處做三角形裝飾
8. 單品完成圖

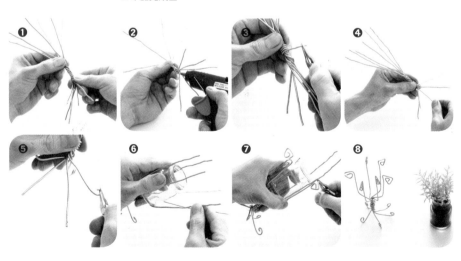

鳥籠

養鳥太麻煩，改種植物帶它出去溜溜，
快樂的和你一起曬曬太陽，做做日光浴。

[材料]

籠體：咖啡色鋁線15cm×1、55cm×4先做成環

　　　鋁線直線：30cm×11

籠門：30cm×1、10cm×1、8cm×2

籠底：18cm、17cm、15cm、13cm、10cm各2條

鉗子

[步驟]

1. 取10條30cm鋁線呈放射狀固定在15cm小環上

2. 依序向下繞起四個55cm環，每層間距約6公分，鳥籠頂層可適當彎出弧線

3. 做籠底，18cm為直徑長，其餘使用鋁線長度間隔1.5cm依序往兩端遞減

4. 於籠底打通一個四格開口做門。

5. 取30cm鋁線做倒ㄇ字型固定於門口的上緣，並用兩條8cm鋁線橫勾出門欄

6. 先將10cm鋁線對折並做勾型，另一端固定在門下緣，使門關下時能勾住底盤

7. 使用30cm鋁線對折做掛勾，方便鳥籠懸掛

8. 單品完成圖

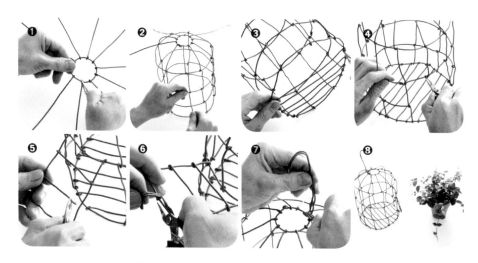

funny time

鋁線連接到結尾若不夠長，可再另剪一段鋁線勾在環上，
延續不足的鋁線部分，就可以繼續製作。

Woody fantasy
用木材，秀創意

盆栽是讓我們貼近自然最容易的方式，而所有創意盆栽能利用的自然材料中，又以木材最具有可塑性，能發揮最多想像做出更多的創意盆栽，且木材的顏色與質感和植物又是最為相配。

一般我們可以使用的木材材料大約可分枯枝、木板、木條、木塊、漂流木、沈木……等，一般來說，枯枝可塑性高，再利用麻繩做結合，創作範圍相當廣泛，而且取得容易，不同的枯枝也可以互相組合，展現它不同的特色；而漂流木可以用來種氣生蘭花、空氣鳳梨、或鹿角蕨等植物。常見的沉木在園藝店都有賣，材質較漂流木硬，多使用於裝飾組合盆栽。另外已裁切好的木條可以在五金行或手工藝店找到，利用這些規矩的木條通常都可創作出較細緻的作品。其實一般木板也可以使用，無論是建材行所販售的，或是從棧板拆下的木板都能使用，但是大型的木板在製作作品時比一般小型作品更需要技巧，也更要用適合的工具來製作，像是鋸子或電鑽等，工程較浩大，所以在本書中並不推薦。

總而言之，上述這些木材中，枝條應該是最好創作的素材了！只需要利用麻繩和膠就能做出許許多多的變化，操作也相當簡便，對於初學者來說，就先從這裡開始上手，慢慢朝手創盆栽達人之路邁進吧！

雙套結→可輕鬆的將麻繩綁在樹枝上

1. 先將麻繩繞過枝條
2. 從下往上繞回，形成一X型
3. 麻繩穿過X型下方空隙後拉緊

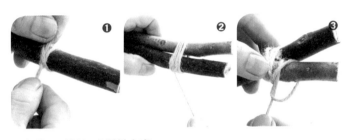

固定結→可增加麻繩穩定度

1. 枝條先打上雙套結
2. 綁上另一枝條，將麻繩纏繞幾圈成束
3. 再於其中一支枝條上以雙套結固定結束

十字結→可讓相互纏繞的樹枝不易滑動

1. 先將枝條一起用麻繩綁成束
2. 分開纏緊中間與左邊的枝條
3. 同步驟❷改繞中間與右邊的枝條，最後並以雙套結綁起即可

打結基本功
←

**要先了解重要的
打結技巧，
才不會讓作品鬆脫、
散落一地喔！**

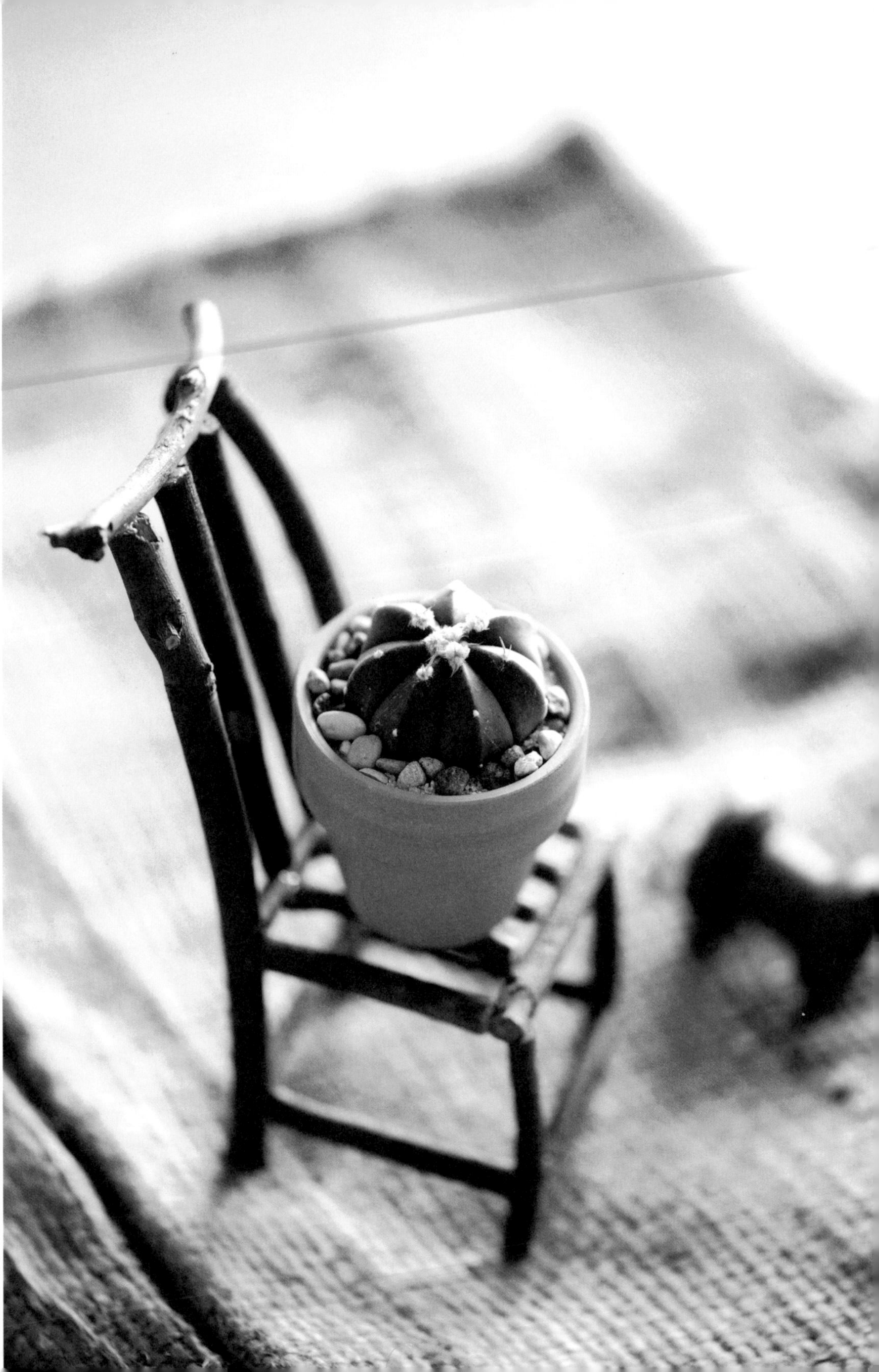

木椅

小巧的木椅讓
盆栽更可愛。

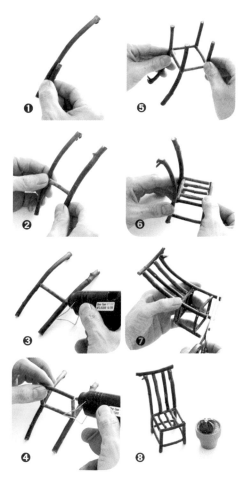

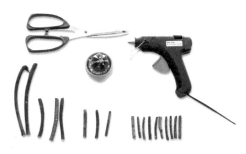

[材料]

木條10cm×2 、6cm×3 、5cm×3
4cm×10、熱熔膠、剪刀

[步驟]

1. 5cm放上10cm枝條比較，找出椅背黏合的中點
2. 取4cm和10cm木條於步驟❶的比較點處連接，成一個
   H型當椅背
3. 用熱熔膠黏住步驟❷中的兩邊端點
4. 取2枝4cm和1枝5cm木條先做個四方形椅面固定
5. 再取2枝5cm木條做前椅腳
6. 將其餘4cm木條黏於椅面中間及椅腳間的橫槓
7. 將2枝6cm木條黏於椅背中間，最後1枝6cm木條則橫
   黏於椅背上，並適當修剪椅腳，使木椅可平衡放置
8. 單品完成圖

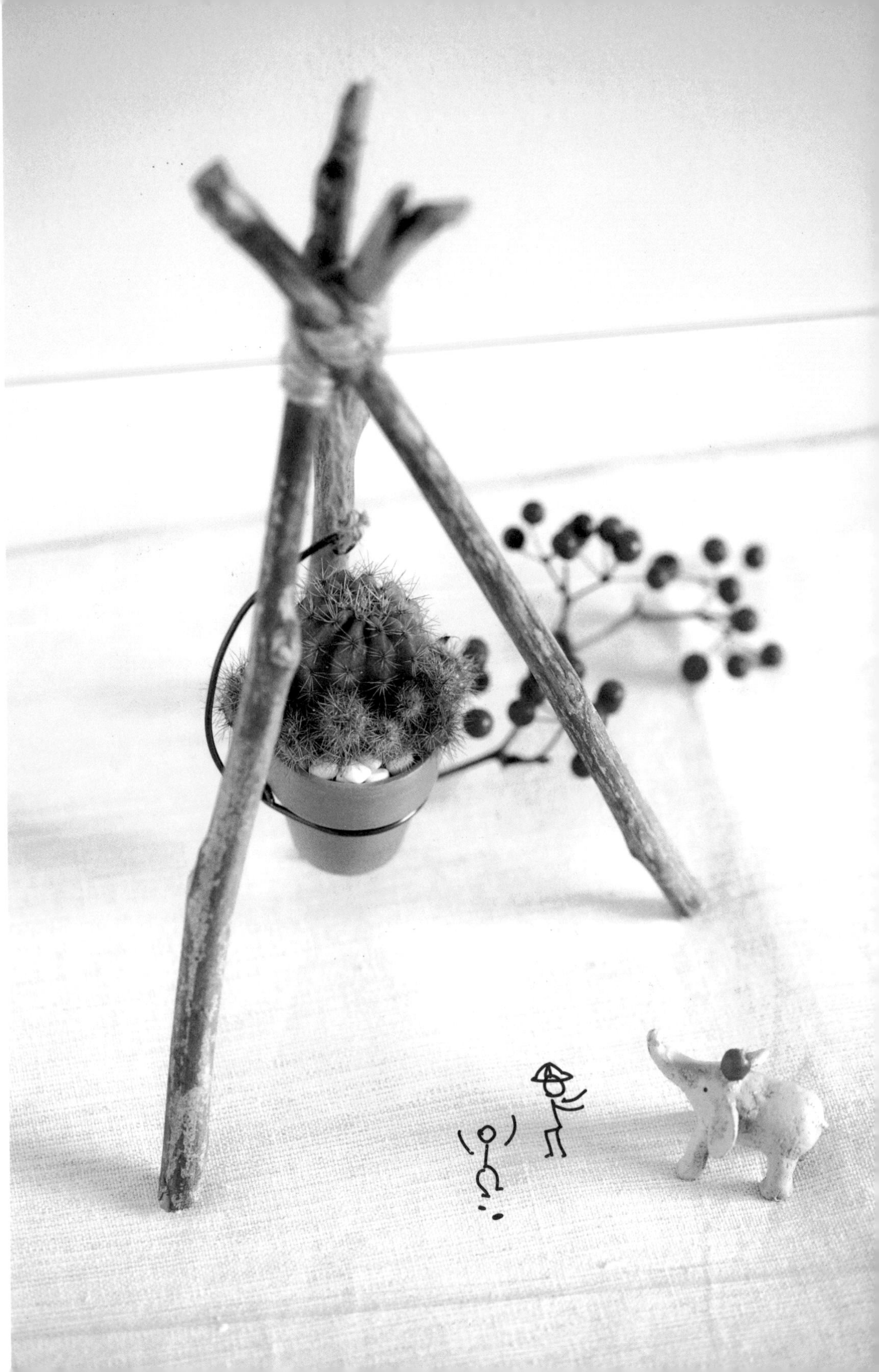

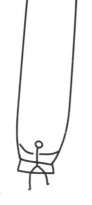

溫鞦韆

書桌上鞦韆讓人想起童年的美好時光。

[材料]

枝條（直徑約1公分左右）長30cm×3
鋁線20cm×1、鉗子、麻繩

[步驟]

1. 繩頭先預留30公分，與枝條相同長度
2. 先取一30cm枝條於五公分處先打一個雙套結
3. 將剩下兩支枝條與第一支枝條互相纏繞五圈纏緊
4. 分開枝條呈一立體三角形並以十字結固定
5. 取鋁線繞小盆做一圈環成陶盆架，並將剩下的鋁線朝上方彎成弧形
6. 在預留麻繩上找出適合小盆栽垂吊的適當距離，使離地約3公分以上
7. 將弧形鋁線頂端做一小勾，並將麻繩綁在勾上，調整整體方向
8. 單品完成圖

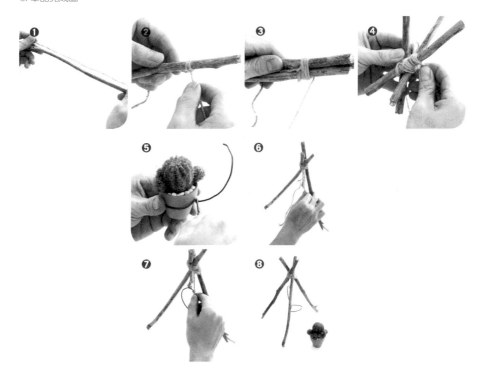

樹枝聚合盆

用大量樹枝堆疊出的風格，
表現出盆器的力度，
看久也不會膩。

[材料]

木條20枝（統一剪裁比小盆栽高兩公分）
熱熔膠、鋁箔紙

[步驟]

1. 先在小盆栽中鋪進鋁箔紙
2. 在木條上先點上一些熱熔膠
3. 將木條平行黏貼於小盆栽最外側的面上
4. 把全部木條平均貼上
5. 單品完成圖

❶　　　　　❷　　　　　❸

❹　　　　　❺　　　　　❻

funny time

陶盆是十分搭配植物顏色，
但由於極易吸水，土壤的水分會被吸走，
所以盆內可鋪上鋁箔紙，避免失水。

nice
house
(

空氣鳳梨畫

將流木做個畫框，掛在牆上，
就是一幅最自然的立體畫。

[材料]

木條長20cm及12cm各2支、麻繩40cm×2
流木、貝殼、釘子、鐵鎚、熱熔膠、樹脂

[步驟]

1. 將短木條兩端塗上白膠，與長木條黏合成一長方形
2. 把木條釘上釘子固定
3. 找一塊大小適中的流木將流木用熱熔膠固定在框內
4. 在框的邊緣用熱熔膠黏上麻繩裝飾
5. 用熱熔膠把空氣鳳梨黏在流木上
6. 於框上加上貝殼裝飾
7. 單品完成圖

funny time

木框可用蠟燭火稍微燻黑，
燻的時候要不時移動木框，避免顏色過深，
如果木頭本身有木紋，
用火燒的過程可以讓木紋更明顯。
而樹脂用來讓木頭黏合，配合木釘可使黏合更緊密。

三角盆

只要將枝條簡單的相互交疊，
不論是誰，都能輕易地做出有特色的套盆。

[材料]

枝條（直徑約1公分左右）長12cm×15
9cm×1、8cm×1、6cm×1、5cm×1、熱熔膠

[步驟]

1. 先取三支12cm枝條做底框，依順時鐘方向以左側在下，右側在上的方式將交叉三點處用熱熔膠固定
2. 第二層的第一支枝條，先用熱熔膠固定左側交點
3. 取第二層的第二支枝條，以熱熔膠固定步驟❷中右側與第一層枝條間的交點
4. 將第二層的第三支枝條右側固定於第一層與第二層樹枝間，左側固定於枝條的最上方
5. 重複動作❷～❹至整個立體三角盆完成
6. 最後在底部分別黏上其餘木條，可視狀況修整底座木條長度
7. 單品完成圖

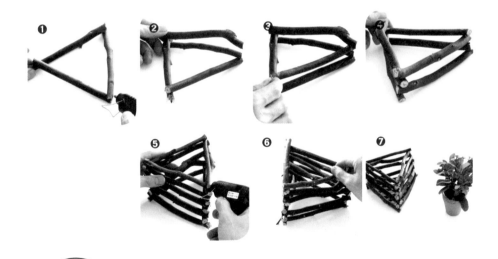

funny time

底座枝條為配合底座三角形，所以枝條還需斜剪，
讓黏接的面可順著形狀固定於三角形底座上，黏著才穩固。

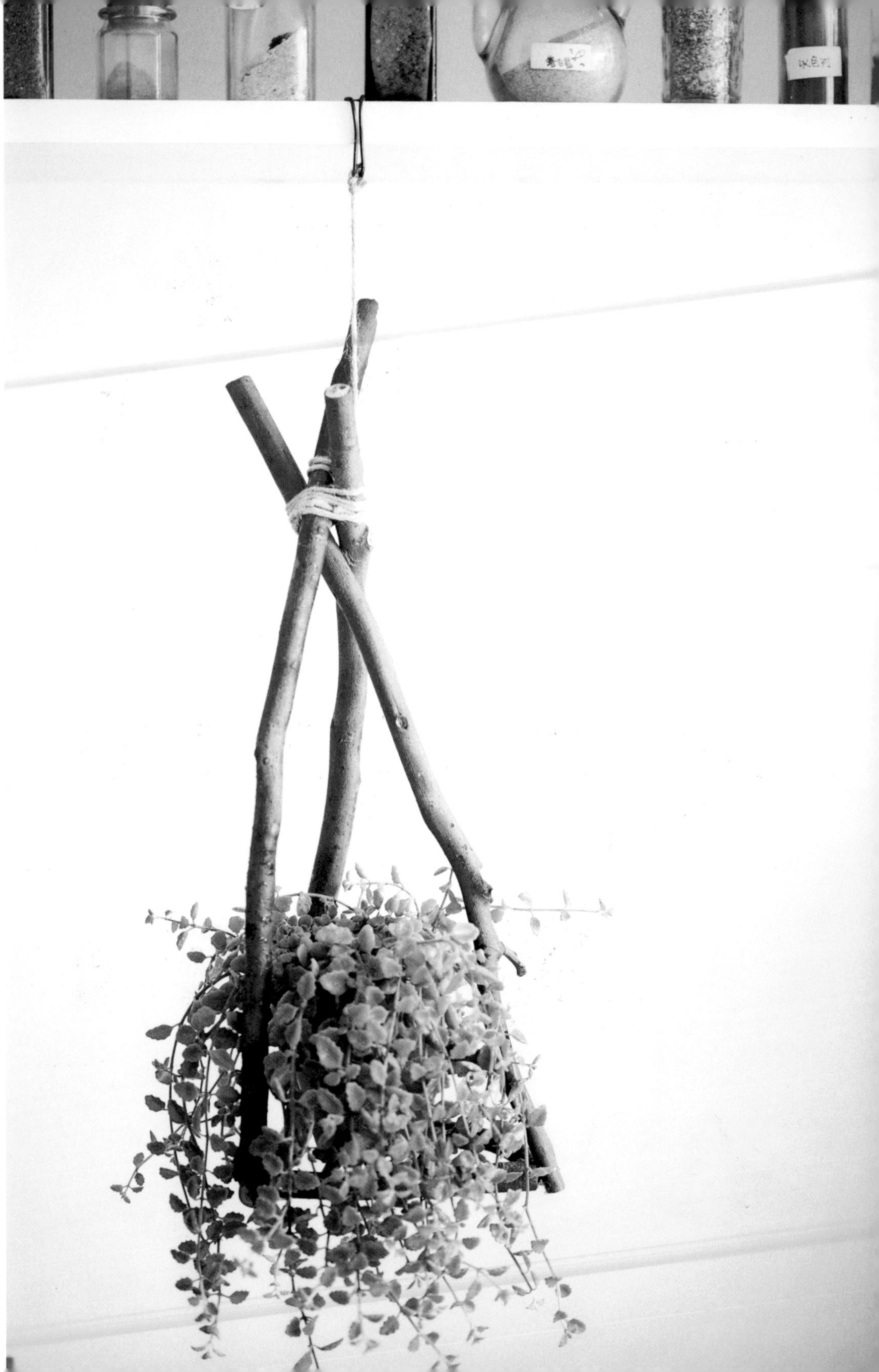

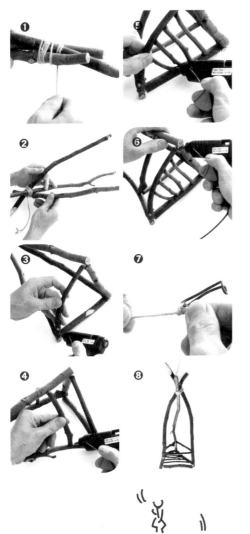

空中樹屋

不知是誰在空中蓋起了樹屋，
遠離塵囂，與麻雀比鄰而居。

[材料]

A：枯枝（直徑兩公分以內）長35cm×3
B：枯枝（直徑兩公分以內）長15cm×3
C：枯枝（直徑兩公分以內）長13cm×3
底部：11cm、10cm、8cm、7cm各一支
鋁線15cm×1、熱熔膠、麻繩

[步驟]

1.用麻繩將A於五公分處纏起
2.撐開木條，呈一三角錐狀
3.用熱熔膠將B在剛做好的三角錐木條底部黏成三角形
4.使用C黏於底部三角形上方約三公分處
5.分別將11cm、10cm、8cm、7cm的四支木條依序用熱
　熔膠固定底部在三角形內
6.用熱熔膠將每個點再補強一次
7.將鋁線做成勾狀，並用麻繩固定於樹屋頂部
8.單品完成圖

三叉架

三叉架上的植物自在地伸展，
不需多餘的裝飾，它就是藝術。

[材料]

枝條長40cm×3、粗麻繩

[步驟]

1. 先取一支枝條，將麻繩綁在枝條一半處打一雙套結固定
2. 將剩餘兩支與第一支枝條綑綁在一起
3. 將枝條撐開，調整枝條間的角度，讓枝條可以三角方式平穩站立
4. 抓出適當角度後，將熱熔膠點綴於中心點空隙處
5. 繼續纏繞剩下麻繩，讓中心更穩固
6. 剩下的麻繩以十字結固定，多餘的麻繩可用視情況剪去
7. 單品完成圖

funny time

由於盆栽要放在架上，故枝條直徑不宜低於2cm，
才能支撐盆栽，視覺上也較穩固。
使用麻繩以粗麻繩較好，
可以綁得更緊、更牢。

枝條吊盆

高掛天邊的吊盆，看起來像顆四角星，
無論擺放什麼植物，四季都美。

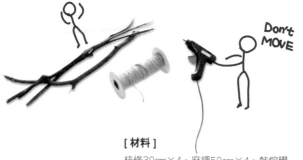

[材料]

枝條30cm×4、麻繩50cm×4、熱熔膠

[步驟]

1. 將四支枝條分別兩兩相黏成兩個近似眼睛的形狀
2. 把麻繩綁在步驟❶熱熔膠黏起的地方加強固定
3. 將兩個做好的半成品十字交叉
4. 於內部菱形交叉點分別用四條麻繩綁起
5. 麻繩於頂端打結，並調整麻繩讓枝條可保持平衡狀態即可
6. 單品完成圖

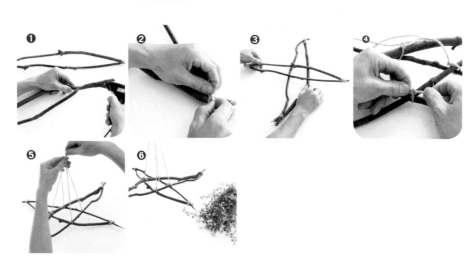

植物選擇上最重要的三件事是陽光，水，土壤，根據這三個條件可以將植物分類，以下是根據植物對水及土壤的需求做分類，大約可分為三類：

第一類區～有砂就能活

此區第一個想到的當然是仙人掌，還有多肉植物。雖然仙人掌和多肉植物生長在沙漠，但有許多仙肉是生長在岩石邊或其他遮蔭的地方，所以對於仙人掌及多肉植物的日照管理，最好的栽培場所是有70～80％日照的地方，例如陽台或窗口。

種植此類植物該怎麼澆水呢？一般是土壤完全乾了才澆，如果是種在有排水孔的盆器，則以澆透為原則，若是無孔的盆器，則寧可少不要多；栽培介質以排水性良好為重點，用培養土加上排水性良好的發泡煉石或珍珠石等，以1：1混合即可。由於此類植物大多生長緩慢，故可運用在較小的盆器栽培，即便是保特瓶蓋大小都可以栽種。適合桌上型盆栽、組合盆栽，組合盆栽則必須都是耐旱的植物，才好管理澆水。

第二類區～多水才適合

第二種植物在照顧程序方面來說更是相當簡單方便，它們對水份的需求量極大，甚至可以直接置於水中栽種。一般來說水生植物可分為四類：

沈水性：生長於水面下，如水蘊草，珍珠藺。
挺水性：根部和莖部固定於水面下的土壤，葉片則挺出水面，如荷花，圓幣草。
浮水性：植物整個漂浮在水面，根不附著於土中，如大萍，滿江紅。
浮葉性：根和莖固定於水面下的土中，葉片貼在水面上，如睡蓮，印度杏菜。

大部分的水生植物都需要全日照，有些可以半日照，如圓幣草，但栽培日照以70～90％較佳；最常種於室內的水生植物有圓幣草、黃金葛等，如果想在室內以水耕栽種的話，則注意要定期換水，保持水質乾淨，並將植物栽種於透明的玻璃器皿，以表現清涼、純淨的感覺。

第三類區～自然就是美

此區植物類型相當多見，通常需種植於土壤中，並且適時的給予水分，大部分的陸生植物都是如此。栽培日照依種類各異，若要栽種於室內的植物，日照以60～80％ 為佳，澆水則以乾了就澆為原則，栽培的土壤以市面上的培養土1：1混合已使用過的舊土使用。這類植物的應用廣泛，可以單盆只種一種、或組合、甚至可利用種子栽種整片的小森林，讓你看見更多植物不同的美。

十二之卷
Haworthia fasciata

十二之卷是百合科多肉植物，株高約5～10公分，葉片劍形，葉上有細小突起白色橫紋，非常有特色，是很常見的多肉植物。耐旱耐陰，可切下帶根小芽另外分株繁殖，適合擺放於室內之盆栽。栽培日照70～90％。

綠翡翠
Plectranthus prostrates

綠翡翠是唇形花科植物，莖具有蔓性，肉質葉不到1公分，小巧可愛，葉緣呈鋸齒狀，非常適合種植於吊盆內。春天可扦插繁殖，耐旱耐陰，喜好高溫，栽培處日照約80％，每年春天需修剪，使它重新長枝葉。

酒瓶蘭
Nolina recurvata

酒瓶蘭是龍舌蘭科小喬木，直立莖，以其下部莖幹肥大像酒瓶而得名。老株表皮龜裂似龜殼，非常特別，線形葉片細長，地下根為肉質狀，花小形而色白。生命力強，喜高溫且耐旱，栽培日照80～100％，室內戶外均可種植。

仙人掌
Cactaceae

仙人掌是仙人掌科植物，多生長於乾旱的地方，葉針狀以減少水分損失及防止動物啃食，肉質莖貯存水分，但土壤不可長期潮濕，成株會開花。栽培處日照約70～90％，多數仙人掌生長在岩石旁，有遮蔭處，故不宜日光直射。

金武扇仙人掌
Opuntia tuna

金武扇仙人掌是仙人掌科植物，其高可達2公尺。葉針狀，莖扁平，花鮮黃色，全年有花，生性強健，平地可見野生，亦可扦插繁殖～取扁莖一節插入砂，約二周可發根。耐旱，全日照半日照均可，日照約80～100％。

三角霸王鞭
Euphorbia trigona

三角霸王鞭又稱彩雲閣，屬大戟科多肉植物，株高達2公尺，莖呈三角柱形，葉片披針形，生性強健。不拘土質，但土壤排水要好；春至秋可扦插繁殖，剪取莖節10～15公分插於土中約三周可發根，栽培日照約80～100％。

蜈蚣珊瑚
Nanus

蜈蚣珊瑚是大戟科多肉植物，和紅雀珊瑚是近親。蜈蚣珊瑚莖直立，葉披針形對生而整齊，看起來像一隻蜈蚣，形狀奇特，耐旱耐陰，適合以小盆栽方式栽種。全年可扦插繁殖，栽培土壤不拘，栽培日照70～100％。

雅樂之舞
Variegata

雅樂之舞是馬齒莧科多肉植物，枝葉肉質，葉圓形或倒卵形，有黃白色斑塊，小巧可愛，宜注意不能長期潮濕，否則莖部容易腐爛。春至秋可扦插繁殖，剪取枝葉5公分插於砂中，約二至三周可發根，栽培日照50～80％。

石蓮
Graptopetalum paraguayense

石蓮是景天科多肉植物，又名蓮座草。全株肥厚多汁，灰色葉片披針形，莖直立易發根，生性強健耐旱，適合用小盆栽或吊盆擺放，市面上亦有可食用的石蓮品種。用葉插法繁殖，極易發根，繁殖力強，栽培日照70～100％。

- -

紅龍果
Hylocereus undatus

紅龍果是仙人掌科植物，莖呈三角柱狀，會有氣根自莖長出，可攀爬樹木；近年來花市中所流行一種名為「綠鑽」的種子盆栽，即是紅龍果的幼苗，十分小巧可愛。日照需充足，避免徒長，栽培日照80～100％。

熊童子
Cotyledon tomentosa

熊童子是景天科多肉植物，株約5～15公分，莖葉肥厚多汁，葉片卵形，末端有鋸齒，全株有細毛，肥厚的葉片看來像是熊掌，非常可愛，是人氣品種；但其不耐高溫，夏季的高溫易使葉片尖端不會轉色且易掉落。可用葉插繁殖，宜室內小品盆栽，日照60～90％。

滇瓦松
Sedum multicaule

滇瓦松是景天科多肉植物，株高3～10公分，全株肉質，心形葉片細小，約2～3mm。葉片十字對生，枝條易發根，生性強健，耐旱耐陰，適合室內小盆栽，可扦插或分株繁殖，栽培日照50～90％。

斑葉石菖蒲
Acorus calamus

斑葉石菖蒲是天南星科植物，株高10～30公分，葉片細而長，有白色條紋，耐濕，可當水生植物，種無孔容器，莖部伏地生長；全株具香氣，約4～5月開花。春夏可分株，從基部剪開，另植於潮濕的土壤，栽培處日照60～90%。

圓幣草
Hydrocotyle vulgaris

圓幣草是繖形科水生植物，株高5～15公分，挺水生，葉自匍匐莖長出，圓形鈍鋸齒葉，葉片有光澤，生性強健。對環境要求不嚴，以濕地及盆栽栽培為佳，最好使用無孔盆栽以避免失水，春夏可分株繁殖，日照80～100%。

黃金葛
Scindapsus

黃金葛是天南星科植物，對園藝稍有了解的人應該沒有不認識它，莖蔓性，葉心形，節有氣根，容易攀附生長，葉片有黃白色斑紋，常見的是種吊盆，小3吋盆，或種大盆，中間立一枝蛇木柱，是名符其實的國民植物，日照60～80%。

大萍
Pistia stratiotes

大萍又稱為水芙蓉，是天南星科水生植物，扇形葉片具波浪狀，表面有絨毛，整株會漂浮水上，成株會生小株，生命力旺盛，容易叢生過多，要適時地摘除，葉片若變黃或枯萎，要立即摘除葉片，注意水質清潔，可種於窗口接受80～100%日照。

萬年竹
Virens

萬年竹為龍舌蘭科常綠灌木，俗稱萬年青或開運竹，莖幹直立，葉互生，葉全綠或葉緣有乳白鑲邊或金黃色紋路。此植物極耐陰耐濕，可以種在盆栽或插在水瓶中水耕當室內觀賞植物，栽培處以日照50～70%最佳。

113

大聚藻
Myriophllum apuaticum

大聚藻又名水松，是蟻塔科多年生水生植物，高約10～20公分，葉片呈羽毛狀，十分柔美，莖蔓性，匍匐生長，可用無孔容器栽培。喜好陽光，日照不足易徒長，春至秋可用扦插繁殖，每年春季修剪，使其長新芽。

翡翠木
Crassula argentea

翡翠木是景天科植物，高可達一公尺，葉肉質倒卵形，葉片翠綠，看似錢幣，俗稱發財樹，是十分討喜的送禮盆栽。春至秋可扦插繁殖，取莖節10公分插於砂中，三周可發根，栽培處日照約60～70％。

長壽花
Kalanchoe

長壽花是景天科肉質草本，高可達50公分，葉對生粗鋸齒狀，葉肉質橢圓形或卵形，花色多種，鮮艷可愛，花期約數月。可以扦插繁殖，取10～15公分枝葉，扦插於砂，約三周發根，栽培日照70～90％。

虎尾蘭
Sansevieria

虎尾蘭屬植物有60多種，常見的有黃短葉虎尾蘭，黃邊虎尾蘭及虎尾蘭，在日韓是相當受歡迎的觀葉室內植物。葉肉質，耐旱又耐陰，生命力強健，極易栽種，春夏可分株或葉插繁殖，黃短葉虎尾蘭植株最小，適合室內盆栽，日照70～90％。

三類區
自然就是美

吊蘭
Chlorophytum comosum

吊蘭是百合科草本植物，台灣有四個品種，最常見的是大葉吊蘭，高10～20公分，葉線形，葉片中間有白色斑紋；成株會生出走莖，走莖末端有幼苗，會生根，可剪下生根幼苗另外栽種。栽培處日照約60～80％。

白網紋草
Fittonia verschaffeltii

白網紋是爵床科網紋草屬植物，植株高約5～10公分，葉面佈滿白色網脈，由於花小不具觀賞價值，故以觀葉植物特性看待。耐陰，栽培處以日照50～70％較佳，喜高溫多濕，另有紅網紋草和小葉白網紋，適合小盆栽種植，清新可愛。

竹蕉
Dracaena deremensis

竹蕉類為龍舌蘭科灌木，莖幹直立，葉片密集全緣，耐旱耐陰，斑葉品種需較強的日照，全綠的品種如密葉竹蕉較耐陰。春夏可扦插繁殖，剪枝條一段10公分，扦插於河砂，約三周可發根，栽培處日照約70～90％。

千年木
Dracaene marginata

千年木類是龍舌蘭科灌木，莖幹直立，頂端長葉，葉片細長，其中最受歡迎的有五彩千年木和彩虹竹蕉。葉片色彩繽紛，耐旱、耐陰，春夏時期剪取莖節插水或河砂均可發根，全日照、半日照均可，約80～100%最佳。

百合竹
Dracaena reflexa

百合竹類為龍舌蘭科灌木，有百合竹、黃邊百合竹、金黃百合竹，葉披針形，革質有光澤，是非常漂亮的室內觀葉植物之一。百合竹類耐陰耐旱也耐水性，剪下莖節插水也能發根，亦適合盆栽種植，栽培處日照50～70%。

台灣姑婆芋
Alocasia

台灣姑婆芋是天南星科植物，市面上稱之佛手芋，和姑婆芋是同屬植物，花市較常見佛手芋，葉片較小而綠，姑婆芋葉片可達30～60公分以上，台灣低海拔地區常見野生植株。可土耕或水耕，耐陰，接受日照約60～80%。

觀音蓮
Alocasia amazonia

觀音蓮是天南星科植物，原產熱帶地區，花市最常見黑葉觀音蓮，葉心形或盾形。地下有球莖，冬天休眠期來臨會只剩球莖，葉片枯萎，此時要停止澆水，待春天再澆水。喜高溫多濕，可常在葉片噴水，以增加濕度，日照約70～80%。

小芋頭
Colocasia esculenta

芋頭為天南星科植物，原產熱帶地區，株高10～40公分，葉片盾形，葉片表面並有乳狀突起氣墊，可使水滴成圓形，不易沾濕葉面。芋頭的來源相當好取得，種植時須先剪去老葉，或取芋頭本身有成長點的部分即可種植，栽培處日照約60～80%。

黛粉葉
Dieffenbachia

黛粉葉是天南星科植物，高20～100公分，莖太長會倒伏；葉片有白色斑點或斑紋，汁液有毒，誤食會使舌部疼痛無法說話，所以又稱為啞蔗。於春季繁殖，可取莖幹15公分插於土中，約一個月可發芽，日照50～80%。

蔓綠絨
Philodendron

綠絨屬是天南星科植物，本屬也是觀葉植物大宗，多數品種的莖為蔓性，莖有氣生根，攀附生長；葉形有心形、長心形、羽裂狀葉、鋸齒狀等。耐陰，取莖3、4節插水也能發根，栽培處日照60～80％。

合果芋
Syngonium

合果芋為天南星科植物，莖蔓性，莖易生氣根攀附生長，而幼株葉片是箭形葉片，成株會變成掌裂葉片，差異極大。葉片有斑紋，生性強健，是很好栽培的室內植物。春至秋可扦插繁殖，耐陰，日照60～90％。

常春藤
Hedera

常春藤是五加科植物，莖蔓性，能生氣根攀附生長，適合栽種於吊盆，是很優美的吊盆植物。掌狀裂葉，有點像楓葉，有黃色或白色不規則斑紋。喜好冷涼氣候，耐陰，不宜強烈陽光直接照射，栽培處日照約60～80％。

福祿桐
Polyscias

福祿桐類是五加科植物，株高約80公分至3公尺，羽狀複葉，小葉有卵形、卷葉、裂葉、等……。生性強健，全日照半日照均能生長，市面上的羽裂福祿桐作為送禮盆栽，有升官發財的意義，栽培於日照60～100％。

秋海棠
Begonia rex

秋海棠是秋海棠科植物，葉片形狀及顏色豐富，葉形有腎形、卵形、心形，葉色則有各種斑塊、斑紋，有賞花及賞葉的品種。喜好冷涼環境，不宜強烈陽光直接照射，土壤排水需良好，栽培日照約50～80％。

馬拉巴栗
Pachira macrocarpa

馬拉巴栗是木棉科喬木，高可達5公尺以上，是非常熱門的觀賞植物，又名發財樹，大型盆栽可用做送禮盆栽，更有農民將莖編織產生不同姿態，十分特別。耐旱、耐陰，可播種繁殖，栽培處日照約70～100％。

翠玲瓏
Callisia repens

舖地錦竹草是鴨跖草科蔓性植物，葉心形肉質狀，葉面有光澤，耐旱耐陰，生性強健，常見有野生在屋頂，適合吊盆種植。全年均可繁殖，扦插很容易發根，剪每段約10公分，扦插於土中，二周可發芽，栽培處日照約50～90％。

大岩桐
Sinningia speciosa

大岩桐是苦苣苔科球根植物，高10～20公分，全株肉質狀，葉卵形，邊緣鋸齒狀，有茸毛，花為鐘形，有單瓣及重瓣，鮮艷欲滴，是少數室內開花植物。喜好高溫多濕，不宜日光直射，宜於遮陰處栽培，日照50～70％。

鑲邊蜘蛛百合
Hymenocallis littoralis

鑲邊蜘蛛百合是石蒜科球根植物，高30～50公分，葉片肉質，有白色條紋，風格高雅，成熟植株的基部會生出小球莖，可將其小球莖分開繁殖。生性強健，耐旱耐濕，不宜光線直射，日照約50～70％。

愛之蔓
Ceropegia woodii

愛之蔓是蘿藦科蔓性植物，葉心形肉質，有灰色網脈，可生根，莖節有時可結零餘子，看來像發芽馬鈴薯的芽！愛之蔓因為心形葉片而得名，是少數可用來傳遞愛情的盆栽。適合吊盆，排水需良好，日照50～80％。

毬蘭
Hoya carnosa

毬蘭是蘿藦科蔓性植物，莖蔓有氣根，能攀附生長。是種葉片非常厚實的植物，對環境有很強的適應能力，耐旱性一流，種久了會有細長的莖蔓延，適合吊盆栽培。耐旱耐陰，土壤需排水良好，日照50～80％。

薜荔
Ficus pumila

薜荔是桑科蔓性植物，為台灣原生種，和愛玉子是同屬植物，另有斑葉的雪荔和小葉薜荔，其中以雪荔最受歡迎。薜荔枝節易生根，能攀爬物體生長，可作吊盆。性耐陰，土壤排水要良好，日照50～80％。

豬籠草
Nepenthes

豬籠草是豬籠草科植物，是人氣很旺的觀賞食蟲植物。葉披針形，葉尾端變細長而長出壺狀「豬籠」，上部有蓋，豬籠內有黏液，能吃昆蟲，形狀奇特，可用水苔栽培。喜高溫多濕，栽培日照50～70%。

蝦蟆草
Pilea spruceana

蝦蟆草是蕁麻科植物，葉片披針形至卵形，葉表有皺紋。株高10～20公分，春秋可扦插繁殖，剪取枝條10公分插於砂中，約三周可發根。性喜高溫多濕，在一般溫暖地區，只要濕度夠，都可以生長良好，栽培處日照約50～70%。

椒草
Peperomia

椒草類是胡椒科植物，株高約10～40公分，莖葉肉質，葉形依品種有心形、圓形、卵形、皺葉等，葉色有墨綠色斑、乳斑、紅色，而最受歡迎的是西瓜皮椒草，銀白色斑使葉片看起來像西瓜，十分可愛，栽培日照50～80%。

兔腳蕨
Davallia mariesii

兔腳蕨是骨碎補科蕨類植物，羽狀複葉，葉形清新柔美，葉自匍匐莖生出，匍匐莖有白色鱗毛，可攀爬樹幹生長。適合種植苔球或種植於流木上，喜高溫多濕的環境，但須避開強烈的日光直射處栽種。栽培日照約40～80%。

冷水花
Pilwa cadierei

冷水花是蕁麻科植物，高10～30公分，葉披針形，有銀白色斑塊，清新高雅。另有玲瓏冷水花（俗稱嬰兒的眼淚），為高級吊盆植物，同屬的還有小葉冷水花，因葉片極小，在台灣幾乎已經變成雜草。冷水花的栽培日照約50～80%。

山蘇
Asplenium

山蘇是鐵角蕨科蕨類植物，葉披針形，叢生如鳥巢，故又稱鳥巢蕨。葉片黃綠色，清爽宜人，葉背會生孢子，且其幼芽可食用，是高級山菜。適合種植吊盆或固定於蛇木板或流木上，好高溫多濕，日照40～70%。

麋角蕨
Platycerium

麋角蕨是水龍骨科蕨類植物,葉片有二型,圓形苞葉會包住根部附著物,成熟會變褐色;而另一種葉形像麋角,故名麋角蕨,是形態極特別的植物。適合種植於蛇木皮及流木,喜高溫多濕,日照50～80%。

卷柏
Selaginella

卷柏是卷柏科蕨類植物,高5～10公分,莖匍匐性,葉片細小如鱗片;另有細葉卷柏品種,俗稱冰淇淋卷柏,叢生狀,非常受歡迎。喜好溫多濕,但不宜至放於高溫處,亦不可強光直射,栽培日照40～60%。

美鐵芋
Zamioculcas zamiifolia

美鐵芋又稱金錢樹,是天南星科植物,高可達60公分,葉片革質富光澤,耐陰耐旱,市面上當做送禮盆栽,非常吉利的植物。可用葉片扦插繁殖,剪取葉片連葉柄,插入砂中,約一個月可發根,日照50～80%。

地瓜
Lpomoea batatas

地瓜是旋花科蔓性植物,是國人非常熟悉的農作物,有食用品種也有觀賞品種,葉片多為心形,其地下有塊根,也就是我們常食用的地瓜。彩葉品種可種植庭園,一般食用品種可水耕種植於室內觀賞,栽培日照70～100%。

象牙木
Diospyros ferrea

象牙木是柿樹科喬木,高可達6公尺,革質葉片卵形,為優良庭園樹種。木材堅硬結實,用途廣泛,種子可繁殖,將種子密佈盆面做種子盆栽觀賞。幼苗耐陰,生長緩慢,適合做為室內小盆栽,日照70～90%。

福木
Garcinia subelliptica

福木是黃果黃科小喬木,株高2～5公尺,葉革質卵形,成熟果實黃金色,生性強健耐旱,是一種良好的庭園樹,可用播種繁殖;幼苗亦耐陰,以種子盆栽方式栽培,可置於室內觀賞。生長緩慢,日照70～100%。

羅漢松
Podocarpus macrophyllus

羅漢松是羅漢松科喬木,原產蘭嶼,現於台灣本島大量繁殖,原生地反而幾乎絕種。株高可達15公尺,葉片長披針形,種子圓球形,適合盆景或庭園種植。排水需良好,幼苗較耐陰,栽培日照70～90%。

竹柏
Decussocarpus nagi

竹柏是羅漢松科喬木,株高達18公尺。葉片革質對生,結圓形果實藍綠色,表面覆蓋白粉,是高級庭園樹種;每年約至十月,各種顏色的果實會滿結樹梢,令人賞心悅目。可播種繁殖,栽培日照60～90%。

火鶴花
Anthurium andraeanum

火鶴花是天南星科植物,株高30～60公分,革質葉心形,有氣生根,花心形。全年均可開花,且花其長達四星期,為室內高級切花品種。性喜高溫多濕,可扦插繁殖,剪取有根的莖段另植新盆即可,栽培日照50～70%。

非洲堇
Saintpaulia

非洲堇是苦苣苔科植物,高僅5～10公分,莖葉肉質,密佈茸毛,葉片有呈圓形及心形等形狀,全年均可見花。其品種繁衍至今已上千種,人工栽培的品種也越來越多。耐陰,是非常受歡迎的室內花卉,栽培日照50～80%。

月橘
Murraya paniculata

月橘又名七里香,是芸香科植物,和柳丁柚子是同科植物。葉披針形,高1～3公尺,開白色花,有獨特香氣。果實圓形,成熟時可洗淨生食或醃漬食用。可播種繁殖,適合庭園種植、盆景或綠籬。栽培日照80～100%。

觀賞鳳梨
Bromeliaceae

觀賞鳳梨是鳳梨科植物,品種亦有數千種,形態各異,多數為觀花品種,但也有特別拿來觀葉及觀果用的品種。花期長,喜好高溫多濕,性耐陰,最常見小盆栽的觀葉品種,可用分株繁殖,用水苔栽培,日照40～70%。

120

栗豆樹
Castanospermum australe

栗豆樹是蝶形花科喬木，原產於澳洲，其株可高達10公尺以上。羽狀複葉，革質小葉披針形，種子扁圓形，如乒乓球大小，發芽會裂兩半，芽目中間長出，初發芽十分可愛，俗稱綠元寶。幼株耐陰，日照50～80%。

紫扇花
Scaevola aemula

株高約為15～30公分，葉片呈披針形，花色為紫色。紫扇花是草海桐科宿根草花，此植物的特色就是它的花看似不完整，如扇形，故稱紫扇花。適合栽種成吊盆，可播種、扦插繁殖，全日照生長較良好。栽培日照90～100%。

袖珍椰子
Chamaedorea elegans

袖珍椰子是棕櫚科植物，株高20～200公分。一般花市均有售三吋小株，羽狀複葉，莖直立不分枝，性喜高溫多濕，具有絕佳的耐陰性，又少病蟲害，清新雅緻，故非常適合作成小型盆栽，於室內種植觀賞，日照50～80%。

121

紫蓉花
Angelonia salicariifolia

紫蓉花是玄參科宿根草花，株高30～60公分，葉細披針形，鋸齒邊，唇形花，依花色還可分白蓉花，紅蓉花等……。在臺灣除冬季外，各季節均可栽種，春、夏、秋季皆能開花；市面又稱天使花，花姿清雅，生性強健，栽培日照90～100%。

嫣紅蔓
Hypoestes phyllostachya

嫣紅蔓是爵床科植物，株高5～15公分，葉卵形或寬披針形，葉片有大面積紅色斑紋，另有白色斑紋，稱為嫣白蔓。春季能開花，但花色不顯眼，故以觀葉為主。莖節易發根，可扦插繁殖，風格獨具，栽培日照50～80%。

空氣鳳梨
Tillandsia

空氣鳳梨是鳳梨科植物，原生於熱帶美洲，附生在樹幹上，有根附著物體，葉片則覆滿鱗毛，銀灰色鱗毛可反射陽光，減少水分蒸散，或可吸收空氣中的水氣，所以稱為空氣鳳梨。注意不可栽種於土壤，日照60～80%。

台・視・叢・書　　有・口・皆・碑

生活系列 1 2 0 7 0 3 1 1

小盆栽，變身！
Changing Flower Pots

作者 / 林雨澤

主編 / 廖雁昭

執行編輯 / 李雅如

攝影 / 王正毅

美術主編 / 宋亞賢

設計・插畫 / 黃鈺絢

出版 / 台視文化事業股份有限公司

發行人 / 丘岳

地址 / 台北市八德路三段十號十一樓

電話 / 886-2-25785078・886-2-25775579

傳真 / 886-2-25770185

郵政劃撥 / 01469665 台視文化公司

初版 / 2008年10月

國家圖書館出版品預行編目資料

小盆栽，變身！/ 林雨澤著；——初版
——臺北市：臺視文化，2008.10
面；　公分. ——（臺視叢書生活系列）
ISBN 978-957-565-831-1　（平裝）
1.盆栽

435.11　　　　　　　　　97019190

Printed in Taiwan

廣　告　回　信
台灣北區郵政管理局
北台字第4427號
郵資已付・免貼郵票

台視文化事業股份有限公司 圖書部 收

105 台北市松山區八德路3段10號11樓

服務電話：(02)2578-5078　圖書專線：(02)2577-5579
劃撥帳號：01469665　　戶　　名：台視文化公司

姓名：

地址：

煩請詳細填寫，直接投入郵筒寄回，謝謝！
您可以不定期獲得本公司最新出版資訊，以及各項回饋優惠活動！

書名：小盆栽，變身

為了讓本公司更加進步，製作更符合您需求的書籍，希望您能撥冗填寫以下資料，本公司將會根據您熱心提供的意見，繼續為您出版更好、更具實用性的書籍！

姓名：＿＿＿＿＿＿＿＿＿　性別：□男 □女　出生日期：＿＿年＿＿月＿＿日

教育程度：□國中以下　□高中職　□專科／大學　□研究所　□其他

職　　業：□學生 □軍公教 □服務業 □金融業 □製造業 □資訊業 □自由業 □家庭主婦 □其他

地　　址：＿＿＿＿＿縣市＿＿＿＿鄉鎮區＿＿＿村＿＿里＿＿鄰

　　　　　＿＿＿＿＿路＿＿段＿＿巷＿＿弄＿＿號之＿＿樓

電　　話：(O)＿＿＿＿＿＿＿＿＿(H)＿＿＿＿＿＿＿＿＿

E-MAIL：＿＿＿＿＿＿＿＿＿＿＿＿

購買地點：□書店，＿＿＿＿＿縣市＿＿＿＿書店 □網路 □書展 □量販店

　　　　　□郵購 □其他＿＿＿＿＿＿＿＿

您從何處得知本書訊息：□電視 □雜誌 □報紙 □廣播 □網路 □逛書店 □書展

　　　　　□其他＿＿＿＿＿＿＿＿

您購買本書的原因：□對書的內容有興趣 □工作或生活需要 □其他＿＿＿＿＿

您認為本書的封面：□滿意 □尚可 □應改進，建議＿＿＿＿＿＿＿

　　　　　內容：□滿意 □尚可 □應改進，建議＿＿＿＿＿＿＿

　　　　　訂價：□滿意 □尚可 □應改進，建議＿＿＿＿＿＿＿

您通常購買哪一方面的生活叢書〈可複選〉

□園藝栽種 □運動健身 □美容保養 □居家佈置 □DIY小物 □生活妙技 □命理星座

□休閒旅遊 □飲食料理 □其他＿＿＿＿＿＿＿

您通常以何種方式購書：□書店 □網路 □劃撥 □書展 □量販店 □其他＿＿＿＿

您希望本公司出版何種類型的書籍〈可複選〉

□食譜料理 □養生健康 □家庭親職 □居家佈置 □DIY小物 □瘦身美容 □電視偶像

□其他＿＿＿＿＿　建議：＿＿＿＿＿＿＿

再次感謝您對本書的批評與支持！